L'ENVOLEUR DE CHEVAUX

et autres contes

DU MÊME AUTEUR

Poésie

Poèmes, Fides, 1972 (épuisé)
Notre royaume est de promesses, Fides, 1974 (épuisé)
Pourtant le Sud..., Hurtubise HMH, 1976
Lettera amorosa, Hurtubise HMH, 1978
Invariance, Art Global, 1980 (édition de luxe)
Invariance suivi de *Célébration du Prince*, Noroît, 1982
(Prix Canada-Suisse 1984)

Contes

La cérémonie, La Presse, 1978
The ceremony, traduit par David Lobdell, Oberon Press, 1980
Agnès et le singulier bestiaire, Pierre Tisseyre éditeur, 1982
Dix contes et nouvelles fantastiques (collectif), Quinze, 1983 (épuisé)

Roman

Les Demoiselles de Numidie, Boréal Express, 1984

Traductions

Poésie et révolution (Walter Lowenfels), Réédition Québec, 1971 (épuisé)
Rocky (Julia Sorel), Quinze, 1977 et Oyez, 1977 (avec Michelle Thériault)
Gros Thomas (six livrets), (Cristina Lastrego et Francesco Testa),
Paulines, 1985
Noël à travers le monde (collectif), Paulines, 1985

MARIE JOSÉ THÉRIAULT

L'ENVOLEUR DE CHEVAUX

et autres contes

BORÉAL

Données de catalogage avant publication (Canada)

Thériault, Marie José, 1945-

L'envoleur de chevaux et autres contes

2-8905-2-163-X

I. Titre.

PS8589.H47E58 1986 C843'.54 C86-096251-2
PS9589.H47E58 1986
PQ3919.2.T53E58 1986

Photocomposition et mise en pages: Helvetigraf, Québec

Illustration de la couverture: Marie José Thériault

Diffusion pour le Québec:
Dimedia: 539, boul. Lebeau
Saint-Laurent (Québec) H4N 1S2

Distribution pour la France:
Distique: 17, rue Hoche
92240 Malakoff

5450, ch. de la Côte-des-Neiges
Bureau 212, Montréal H3T 1Y6

ISBN 2-89052-163-X

Dépôt légal: 3e trimestre 1986
Bibliothèque nationale du Québec

Désir, voyageur à l'unique bagage
et aux multiples trains.

René Char, *La nuit talismanique*

1

LA GARE

Toute la journée, toute la nuit ensuite, elle avait attendu l'arrivée du train.

Debout sur le quai, elle avait regardé longtemps dans une direction, puis longtemps dans l'autre, ignorant tout à fait s'il viendrait par le nord ou par le sud.

L'été pourtant bien avancé restait torride même à cette heure matinale. Il y avait un voile sur le ciel, un voile aussi sur les sons qui lui parvenaient moins étouffés qu'assouplis: une cigale, un frelon, une herbe sèche. Rien d'autre. Et ce peu, masqué.

Elle avait chaud et regrettait son ombrelle perdue.

Sur le banc étroit à côté de la porte, elle s'assit. L'avant-toit dessinait là une maigre zone d'ombre. Presque au-dessus de sa tête, une enseigne blanche, suspendue, immobile. On n'y lisait aucun nom.

Elle ouvrit un petit livre — des poèmes, peut-être; ou des pensées — et, très droite, elle lut. Puis elle cessa de lire. Puis elle lut encore.

La gare était déserte.

Une fois ou deux, elle se leva et marcha lentement vers la voie. Elle se penchait un peu à ce moment pour mieux voir, pour chercher au loin là-bas entre les arbres, là-bas aussi entre les herbes, une fumée. Puis elle retournait s'asseoir, et le petit livre restait longtemps fermé.

Quand cela eut-il lieu, on ne sait. Mais elle quitta le banc, le quai, la gare.

Sous l'enseigne à jamais anonyme, un petit livre abandonné.

Maintenant, elle avançait entre les rails, et la faille de sa robe, glissant sur les traverses, faisait des chuchotis. Elle défit les agrafes qui la serraient au col et s'épongea doucement le front, doucement les joues.

Devant elle, la voie ferrée s'enfonçait dans les sapins.

Puis elle entendit des pas, ses pas à lui. Il était enfin là, derrière, encore lointain, mais chaque crissement du ballast le rapprochait d'elle. Elle s'arrêta et attendit sans se retourner.

Il est possible qu'ils parlèrent, encore plus probable qu'ils ne dirent rien quand il l'eut rejointe. Elle n'eut conscience que de deux mains qui lui prenaient la taille, deux mains veineuses et fermes, rassurantes, ses mains.

Elle crut soudain n'être pas née encore, mais à naître. Elle entrera alors dans un monde infini et enclos, comme un tableau, comme une gare. Et ce sera parce qu'il l'y conduira. Voilà ce qu'alors elle se dit.

Il eut pour elle des baisers presque chastes qu'il

posa dans son cou. Sur ses épaules aussi, qu'il découvrit sans qu'elle s'en aperçoive. Elle appuya d'elle-même son dos sur la poitrine de l'homme, et lui, il répondit à ce consentement par une pression plus marquée de ses paumes. Et par ceci:

— Je vous en conjure, ne me regardez pas ainsi... ne me regardez pas...

Elle ne l'avait pourtant pas encore regardé.

Elle songea: «Peut-être, au fond, n'a-t-il rien dit?»

Ils mirent du temps à se laisser glisser par terre dans un amas de soie et de coton. Ils mirent du temps à déserter le monde et plus de temps encore à y revenir. Ils apprirent beaucoup sans jamais enseigner. Ils s'efforcèrent de se perdre, puis ils s'appliquèrent à se retrouver. À chaque fois, un goût qui changeait: un goût d'épices, ou un goût de lait, ou d'orange, ou de raisin muscat; à chaque fois, un goût ni tout à fait le même ni vraiment un autre; à chaque fois, un goût inédit et ancien.

— C'est presque parfait, murmura-t-elle. Mais ne m'épuisez pas trop vite.

Alors il éleva avec ses bras des cloisons invisibles, et à huis clos il l'aima plus lentement qu'à découvert.

L'automne les surprit cependant comme il se dégageait d'elle. Elle écouta tant qu'elle le put le bruit décroissant de ses pas.

Elle revint vers la gare. Il faisait déjà beaucoup moins chaud.

Sur le banc étroit à côté de la porte, elle s'assit. Une autre nuit passa, et un autre matin, et peut-être quelques nuits, quelques matins encore.

Elle n'avait pas beaucoup envie de lire.

Ce train qui n'était pas arrivé, quand il viendrait — s'il venait —, elle ne savait plus très bien si ce serait pour le ramener, lui, ou pour l'emporter, elle.

SANTIAGO

Ce matin, dit-elle, il y avait un œil dans ma tasse de thé. De la dimension d'une fève et, comme elle, ovale. Il flottait entre deux eaux et me regardait. Sans dureté. Plutôt, avec une sorte d'indulgence curieuse. À intervalles, une paupière venait le fermer à demi avec lenteur puis remontait, lourde, semblant combattre le sommeil.

Je n'ai pas eu peur. Pourtant, hier ils étaient deux. L'un au-dessus de l'autre. Pas à côté. Non. Au-dessus. Ils fixaient sur moi leur iris jaune, me détaillaient, me jaugeaient à la manière des chats dont on ne sait trop, quand ils appuient leur museau sur leurs pattes pour vous observer, s'ils vous condamnent ou s'ils vous louent. Peu encline à la curiosité, je n'ai ressenti aucun besoin de connaître le pourquoi de cette vision. Un grimoire, un traité d'occultisme, *le Livre des Ombres* m'eussent renseignée, mais je n'en possède point. Je pris d'emblée le contre-pied de l'attitude qu'une telle situation dictait: indifférente, je sortis.

Sortir. Voilà un bien grand mot: au-delà de la porte il n'y avait ni jardin ni rue ni campagne sauvage. J'*entrai* plutôt dans une maison qui encerclait la mienne devenue minuscule. J'avançai, fascinée, dans les hautes salles vides, les longs corridors nus, les chambres sans lits, je circulai de salon en antichambre et d'antichambre en fumoir sans que jamais une armoire, un fauteuil ou même une toile vînt détruire la pureté froide de ce grand dénuement.

J'eus la conviction de marcher ainsi pendant des heures, d'aller toujours dans la même direction, de traverser salle après salle sans jamais revenir sur mes pas ou arriver au terme de ma visite, mais je pénétrai enfin dans une chambre étonnante où quelques meubles et objets occupaient des emplacements défiant toute logique.

Un coffre, au beau milieu de la pièce, se tenait en équilibre sur l'une de ses arêtes, ressemblant de la sorte à une toupie arrêtée à mi-course. Tout à côté, par terre, un lutrin couché sur lequel reposait un livre à belle reliure. Devant une cheminée, une commode accueillait dans un tiroir ouvert un chandelier à sept branches dont l'une, cassée, avait été déposée sur du coton dans un petit panier d'osier. Un piano-forte tournait son clavier vers le mur tandis que dessus agonisait un métronome mou, parfaitement flasque, qui épousait comme un fromage le coin arrondi du couvercle.

J'examinais un à un ces objets insolites sans toutefois les toucher de crainte de nuire à leur équilibre précaire ou bouleverser une disposition qui répondait à quelque mystérieux dessein, quand soudainement une porte ouverte sur l'extérieur retint mon attention.

Au-delà s'étalaient les pentes d'une colline dorée et belle à faire perdre le souffle. Je demeurai de longues minutes dans l'embrasure, éblouie par le spectacle de tant de joie étalée là, sous mes yeux, voulant l'absorber toute d'une grande lampée. La colline était nue. C'était une sorte de montagne de sable ou de poussière d'or, parfaitement lisse, sans la moindre aspérité. Une forte luminescence provenait de son noyau. Comme je m'engageais sur ses pentes, je dus admettre qu'il ne s'agissait ni de sable ni d'or, mais bien d'une substance impalpable, inconnue, sur laquelle je marchais sans qu'il y ait de contact véritable, au-dessus de laquelle je flottais sans déployer le moindre effort.

Quand j'atteignis la cime, tu étais là. Oh, je ne t'ai pas vu tout de suite: la cloche de verre qui couronnait la colline comme un tétin, mais de travers, en se penchant vers moi, retenait en elle une lumière telle que des couleurs prismatiques se formaient au-dedans et au-dehors, qui m'aveuglaient au point que j'ai mis du temps à t'apercevoir sous les pans de cristal, pendu au battant avec une sorte de fureur, le visage marqué par l'effort. Plus rapidement, j'ai compris que tu cherchais à vaincre l'effet de la gravité, à entraîner le battant du côté opposé alors que l'inclinaison prononcée de la cloche compliquait l'exercice.

Tu étais là, Santiago, accroché à une chimère, certain que ton application allait faire basculer le battant vers l'autre versant, que son contact avec le verre déclencherait des symphonies, que ce seul geste allait remettre de l'ordre dans tous les chaos du monde.

Moi, de ce côté du globe, je connaissais la véritable issue.

— Ne pousse pas ainsi, Santiago! Elle s'écroulera, Santiago. Elle est si fragile... il y a déjà des fêlures ici, et là aussi, Santiago, regarde!

Je me suis aplatie comme une feuille de papier bible pour me glisser par une des cassures. Avec du sparadrap, je colmatai tant bien que mal les brèches dans la paroi de verre. Puis, regardant autour de moi, je vis — oh, ça n'a duré qu'une seconde, une toute petite seconde... — le même coffre que tout à l'heure, mais bien à plat, comme il doit être, et aussi le livre ouvert sur le lutrin debout; le chandelier intact trônait sur la commode aux tiroirs fermés tandis que le pianoforte, presque au centre de l'aire, jouait tout seul comme un Pianola au rythme bien scandé d'un métronome tout ce qu'il y a de plus dur.

Et toi, Santiago, suspendu au battant, buté, me regardant parfois comme l'œil de la tasse avec tendresse et curiosité, tu t'acharnais dans ton balancement, décidé à assombrir la lumière, faire taire la musique et éclater le globe. Il suffirait d'un ultime effort qui te crisperait, d'un râle qui te donnerait un élan d'énergie, tu ferais basculer le battant et avec lui la cloche tout entière.

Sous l'impact, la cloche vola en éclats. Il y eut un éblouissement de cristal brisé, des millions de particules de lumière emplirent l'air. Il se mit à pleuvoir des cristaux de braise et de la poussière d'or pendant que tu riais, Santiago, comme un enfant devant des feux de Bengale! Il y eut une explosion de verre et, c'est vrai, Santiago, une très belle musique.

Mais cela n'a pas duré. Toutes ces averses irisées se transformèrent en cendres, elles te couvrirent mieux qu'une coulée de lave, elles t'ensevelirent. Tu as cessé de rire, Santiago, et avec toi s'est tue la musique, et les cristaux en finirent de pleuvoir...

* * *

Il n'y a plus de lumière, dit-elle. Plus rien qui vaille.

Il n'y a que moi, Santiago, à me demander qui de nous deux a eu raison, qui a eu tort; rien que moi, debout au milieu des cendres, tes cendres, et ces meubles, ces livres, ces métronomes boueux; rien que moi, folle de n'avoir pu retenir la lumière, parfaitement vidée, Santiago, et seule parmi les ruines sur cette colline en train de fuir sous mes pieds, sur cette colline gluante et poisseuse et fangeuse et plus grise et plus triste, Santiago, plus noire et plus terrible que toute une vie perdue.

ANNA MÉLOÉ

Quand elle eut couvert un papier fin d'une écriture soignée et sans bavure, Anna Méloé signa son message et le ferma avec un pain à cacheter.

À l'enfant loqueteux qui attendait elle remit quelques pièces et dit:

— Portez ce pli en grand secret au vice-consul. Évitez les chemins battus; prenez plutôt par les tourbières et la forêt, qu'on ne vous aperçoive. Et faites en sorte qu'il ne tarde point.

L'enfant parti, elle endossa une tenue de fête dont la couleur lie de vin rehaussait sa beauté. Elle disposa aussi des peignes dans ses cheveux, de petits peignes de laque délicats et discrets. Dans le boudoir, tout près d'un bronze à tête d'ibis, une carafe de malvoisie: elle en versa deux doigts au fond d'un verre, pour elle, en attendant.

* * *

Le soir ne tombait pas encore qu'il était là. Incrédule, manifestement. Ému. Répétant sotto voce «Anna, Anna», son nom à elle, comme s'il le découvrait. Il voulut toucher son visage. Elle l'évita en se tournant vers le jardin.

— L'hysope n'a pas beaucoup fleuri cette année. Parlons un peu, dit-elle. Voulez-vous?

Ils parlèrent beaucoup. Dans la lumière incertaine de la pièce, telle qu'elle l'aimait, comme par temps d'orage, ils parlèrent. Et encore, quand l'air se mit au frais et qu'ils burent du sou-chong bouillant.

Plus tard, elle se leva et la soie de sa robe faisait contre ses jambes comme un bruit d'eau. Il la suivit dans l'escalier.

Là-haut seulement Anna Méloé lui permit ce baiser qui, depuis des heures, le brûlait jusqu'aux mœlles. Mais aussitôt:

— Venez par ici. Il y a là de quoi vous intriguer.

Elle le mena dans un réduit sans fenêtre sous prétexte d'un coffret ou de quelque autre merveille à lui montrer. Sortit. Ferma la porte à double tour.

Par le panneau qu'il battait de ses poings en suppliant qu'elle ouvre, Anna Méloé lui adressait des mots longuement mûris. Il y était question de lui, de lui mais aussi de Justin, de leur duel stupide et encore de Justin, de Justin près d'elle et de Justin en elle, et du coup de feu et de Justin toujours, mais cette fois étendu dans l'herbe avec un trou au cœur, et de lui, là, vivant encore derrière cette porte, et vous croyez qu'être vice-consul vous confère tous les droits? Et il faudrait que je vous absolve? Et il faudrait en sus que je vous aime?

Avec adresse et détermination, Anna Méloé mura le cagibi.

LES MAISONS MURMURES

J'entrepris mes recherches très tôt le matin, justement à l'heure où les maisons encore moites reluisent un peu et font entendre un chant plaintif, presque un pleur, si par inadvertance ou de propos délibéré on les frôle en marchant près d'elles.

Comme des femmes alourdies de sommeil, elles s'offusquent et n'éprouvent aucune gêne à manifester leur ennui quand on les tire des limbes avant l'heure choisie par elles, de tout temps, et variant assez peu d'une maison à l'autre. Il va sans dire que les constructions plus récentes, d'une impatiente jeunesse, ne jouissent pas des mêmes langoureux réveils et que nos frôlements ne les atteignent guère. Elles offrent, au reste, une surface impersonnelle généralement peu invitante que le promeneur solitaire néglige souvent d'effleurer.

Je pris donc par un chemin encore humide que les midi empoussiéreraient. Je marchais pieds nus; un tapis de fraîcheur, presque de froid, opposait une résistance bienvenue entre ma peau et ces petits cailloux acérés qui venaient parfois se loger entre mes orteils et m'exaspérer autant que savent le faire en d'autres circonstances des tiroirs entrouverts.

J'ignorais tout du pays où je me trouvais et même de l'itinéraire qui m'y avait conduite. Mais quand je vis la route jaune déjà remplie d'odeurs, je n'éprouvai aucun sentiment de crainte: plutôt, une assurance fébrile, celle de devoir par là partir en quête de *quelque chose* dont la nature ne me serait révélée qu'au moment précis de sa découverte.

Il arrive fréquemment au long des chemins de campagne qu'aux parfums d'herbes vienne s'ajouter, à cette heure matinale, une senteur de brûlé presque indiscernable présageant une journée d'équateur, puissante et torride, qui tressera les prés en nattes pâles. Il y aura bien des bêtes de trait, des bœufs trapus pour les piétiner, et l'on entendra certainement sous leurs sabots des craquements de seigle ou de fétuques. Peut-être aussi la voix cassante d'un paysan nous parviendra-t-elle; elle aura acquis, entre son point de départ et son point de chute, quelques-unes des propriétés du feu: un tranchant de lame rouge, beaucoup de minceur, ou mieux, d'effilement, et cette brièveté de résonance qu'on trouve malgré l'écho au bout d'un claquement de fouet.

Avais-je *deviné* ces détails climatiques à propos d'une région dont j'ignorais jusqu'au nom? La question ne me préoccupait guère. Je me contentais de respirer les effluves de citronnelle et de faire soupirer les maisons en les touchant du doigt. Chacune possédait un chant propre que j'appris assez tôt à distinguer des autres. Les modulations recelaient d'imperceptibles nuances, fonction à la fois du moment, du degré d'humidité des parois, de la structure, des matériaux, ainsi que du nombre des occupants et de leurs états d'âme. Tout cela ajouté à la pression variable des mains sur la surface grenée des murs extérieurs produisait, de maison en maison, une mélodie complexe dont les secrets ne me furent livrés que par une étude attentive.

Ici, mes doigts eurent soin d'interroger les arêtes par un mouvement d'archet ou de chercher le thème d'une lézarde; là, j'ouvrais et fermais tour à tour portes et contrevents en tendant bien l'oreille pour percevoir la moindre variation de timbre et déterminer sa provenance. Je constatais en effet que les murmures acquéraient une valeur différente selon qu'ils naissaient du fer, de la pierre ou du bois et que s'y amalgamaient avec plus ou moins de cohérence les accents du cœur. Je compris ceci sans trop de peine: un chant particulier surgirait tôt ou tard, en lui serait enfouie la *chose* qui constituait le but ultime de ma quête. Elle se manifesterait par des harmoniques précises, des rapports de sons définis qui trouveraient une parfaite correspondance avec cette partie de moi invisible à l'œil nu située par tradition au plexus solaire. Comme je pressentais aussi l'importance de facteurs connexes dont le détail m'échappait encore, j'apportais beaucoup de minutie à observer la configuration des lieux. L'enduit des murs est-il teinté de rose ou de jaune? Les volets, pleins ou lattés? Doit-on, pour se faire ouvrir, soulever un heurtoir ou faire jouer le battant d'une cloche? Je mesurais d'un œil rapide et précis la dimension du jardin et en inventoriais les plantes: six rosiers nains et un autre grimpant qui étouffe le tronc d'un jeune arbre dont j'ignore l'essence; quatre azalées en pleine floraison; plusieurs géraniums costauds dont les teintes vont du rose violacé au rouge sang; de nombreux cacti à l'entretien facile, quelques-uns s'ornant de fleurs obscènes perchées sur leurs colonnes; des vignes vierges agrippées au treillis d'une tonnelle que flanquent deux mûriers sauvages encore assez bas et trapus; un arbre au poivre dit *Agnus-castus* sous lequel rampe un large ruban de lavandes et, enfin, juste au-dessus d'une petite table en rotin (je m'inquiétais d'ailleurs de savoir pourquoi, eu égard aux vents violents qui soufflent parfois sur ces contrées, on ne l'avait pas préférée en marbre), un figuier chargé de fruits fendus à chair grenat qui pleurent une épaisse larme de miel.

Les maisons et les jardins qui firent ainsi l'objet d'un attentif examen étaient proches les uns des autres de telle sorte que je pus, pendant un moment, poussée par le besoin de créer des musiques de plus en plus charnelles, multiplier mes mouvements de glissando sur les parois et produire des chants touffus qui emplirent bientôt l'air de grasses vibrations. Je me permettais ce hiatus dans mes recherches, car je savais d'instinct que la réponse ne me viendrait pas de ces maisons, dont j'avais épuisé le nombre, mais d'une maison sise plus loin, ailleurs, au-delà de ce segment de route bordée de champs déserts — si l'on excepte les insectes crépitants que le soleil couvrait déjà de chaudes gouttelettes orange.

Je marchai ensuite assez longtemps sans rencontrer maison qui vive. La route grimpait par à-coups entre des prés moutonneux où surgissaient en pâtés des troupeaux de roc. Quelques arbres tordus s'aggloméraient parfois pour former un rectangle vert, mais d'un vert si discret qu'il en paraissait gris (on étale autour d'eux, le moment venu, de grands parachutes qui recueillent leurs olives charnues. Jusqu'alors, les fruits âcres ressemblent à des projectiles pleins et durs restés accrochés là où les aurait lancés une improbable sarbacane). Sur un sol rude, en apparence éternellement sec, portant une végétation courte et piquante comme une barbe de trois jours, foisonnaient des masses de coquelicots qui constellaient les champs de taches violentes, plus rouges que des amours mortes. De temps à autre — mais rarement — un nuage traversait le ciel et, captant le ponceau des fleurs, en rosissait son galbe, puis s'allongeait, s'amincissait longuement, s'effilochait, et il n'en restait plus bientôt qu'un pâle rappel, dilué, presque invisible, transparent comme un lavis d'aquarelliste. Fréquemment, des murets de pierres plates flanquaient le chemin, au long desquels se plaquaient, immobiles, de menus lézards satisfaits, engourdis de soleil. J'eus quelquefois envie de l'un d'eux, petit objet vivant et vibrant, dans mon poing fermé; j'en éprouvais un singulier désir semblable à celui qui m'incitait naguère à capturer ces fabuleuses chenilles velues dont le dos s'orne de motifs persans, pour les serrer étroitement avec amour et les sentir glisser contre ma paume. Ma mère ouvrait alors des yeux horrifiés, sûre qu'à délier mes doigts elle y découvrirait une relique visqueuse, glauque, à l'odeur putride. Qu'il me suffise de dire qu'alors (comme maintenant?) mes amoureuses étreintes n'avaient de mortel que l'esprit et qu'elles ne firent, si ma mémoire est bonne, aucune victime.

Une odeur de roussi enfla tout à coup mes narines. Le chemin ferme devint plus mou, brûlant et mobile tel du sable sous mes pieds. Les collines lointaines blanchirent comme des pains de talc. L'air se gonfla de particules poudreuses, stériles, qui tendirent devant toute chose des rideaux déformants au-delà desquels chaque pierre, chaque plante semblait animée par une sinuosité rapide, une ascension vibratoire qui en refondait les contours, les dessinant, les effaçant, les corrigeant sans trêve; puis ils vinrent s'engouffrer dans ma gorge pour y régner de la même manière, l'assécher et me donner soif. Une fontaine placée au tournant, on eût cru pour ma convenance, me signala sa présence par un gargouillement glacé. Je goûtai immodérément la fraîcheur minérale de son eau.

Il est probable que le paysage se transforma à mon insu pendant que je me désaltérais. Je n'eus pas conscience de cette métamorphose, à supposer qu'elle eût lieu. Au reste, je me demande encore aujourd'hui si la soif ne me donnait pas une vision irréelle du monde, si l'arrivée subite de la chaleur ne m'avait pas aveuglée quand j'apercevais, par-delà les champs de pavots marqués d'ilôts d'arbres chétifs, des collines nues, arides, presque des plateaux chauves, avec juste assez d'herbe jaunie pour assouvir une demi-douzaine de moutons. Quoi qu'il en soit, devant moi, là où je n'avais encore vu se dresser ni cabanon ni bergerie, s'élevait maintenant (et si près que j'eusse pu en faire chanter la pierre en tendant le bras) un mas en équerre dont le long côté s'accrochait à une pente. Un pigeonnier carré le jouxtait, surmonté d'une bizarre terrasse dont les piliers corniers s'harmonisaient mal avec le bâtiment; on l'avait au surplus recouverte d'un toit de tuiles qui juraient elles aussi avec les lauzes bleues de la maison d'habitation et paraissaient le fruit de quelque douteux caprice. À première vue, peu de vert sinon deux ou trois mûriers aux branches basses desquels on avait suspendu des chaises à fond paillé. De toute évidence, on ne s'embarrassait pas ici de jardins luxuriants et les fleurs, hormis quelques plants en pots longeant la façade, ne poussaient qu'à l'état sauvage, par temps propice, dans les prés. Cette construction inattendue fermait le chemin où je me trouvais: celui-ci allait rejoindre au sommet de la côte la branche courte de la ferme, un fenil ouvert en arcades qui abritait une voiture ancienne assez mal entretenue.

Une silhouette venait d'apparaître sous un arc de la petite aile, semblant l'occuper en entier. Bien que de stature moyenne, l'homme habitait son espace avec la démesure d'un dieu. Non. En réalité, il n'exsudait pas un rayonnement olympien, mais la séduction animale du fauve qui, ayant circonscrit son territoire, y règne et le défend. Il avait plus que des attaches avec ces pierres sèches dont il s'entourait; il avait dû très tôt leur ressembler, en négatif, de sorte qu'aujourd'hui coïncidaient ses rides et leurs arêtes comme un ciseau et une cannelure. Ses cheveux retombaient par langues sur son front. Il ne les repoussait pas. Il demeurait droit, sans bouger, fixe tel un pilier monolithe dont il eût absorbé la permanence, attitude de suspicion qui dévoilait des fêlures d'âme mal soudées, des plaies sensibles, encore jeunes. Il avait une peau de tan, un visage marqué de longues stries sauvages et sombres comme il en vient à ceux qu'amarre une vie cassante, crevassée, sévère; et si l'on pouvait penser qu'il souriait, c'était à tort, car sa bouche à la belle courbe entrouverte conservait en toutes circonstances ce dessin apparemment rieur né d'un long contact avec la lumière crue qui oblige à retrousser les lèvres pour mieux plisser les yeux.

Il me guetta longtemps ainsi, en portant au bout de ses bras qui pendaient des marteaux de mains, des masses en fonte balisées de jointures. Quelque chose bougeait aux mâchoires: il mordait ses propres dents. Une bête eût moins bien réussi pareille tension de tous les muscles, telle absence de distraction. L'œil rivé sur cette intrusion en forme de femme, moi, il me maintenait par son regard dans un état voisinant la stupeur.

Dans son entêtement à me refuser le geste de bienvenue que j'espérais qui m'eût aussi permis d'explorer le chant de la maison, je saisis bien malgré moi une sorte d'épreuve vexatoire devant sans doute me rendre digne de pénétrer céans.

L'homme m'envoûtait. Un charme indéfinissable émanait de cet être méfiant, réservé. Était-il attiré par moi comme je l'étais par lui? S'il semblait débattre avec lui-même de l'opportunité d'un tel échange, il ne se rebiffait pas, paraissait même m'inviter à le prendre d'assaut. Il me mettait au défi de l'alléger d'un poids devenu trop lourd. Sa froideur apparente, j'en suis sûre, visait autant à me provoquer qu'à le garder, lui, d'un attachement qui n'atteindrait pas le surhumain.

Ai-je dit que je suis téméraire? Que le raisonnable ne me rejoint pas? Que je vis d'excès en excès et qu'à défaut de toucher l'impossible je croupis dans une sorte d'apathie bienheureuse qui rejette tout, en particulier le tiède, l'ordinaire, le médiocre? Nous étions en cela tous deux de la même race. Je relevai le gant.

Un changement dans mon maintien dut l'informer de mon choix, car il s'approcha de moi avec une démarche sûre — non dépourvue toutefois de quelque chose de las — et portant un costume qui le faisait ressembler à l'émigrant de Landor Road, à tel point que je n'eusse pas été étonnée de l'entendre dire en guise d'ultime bravade: «Mon bateau partira demain pour l'Amérique / Et je ne reviendrai jamais.» Mais il se tut.

* * *

Il avance. Il avance avec un faix sur les épaules composé d'années d'insomnies et de petites guerres. Il avance en traînant avec lui des enfers noirs pareils à des oliviers calcinés qui l'habitent et deviennent ses bras, ses jambes, son torse, le nouent à l'intérieur, le remplissent de poings fermés. Il feint, affichant une dureté d'artifice qui ne me leurre plus. Tout respire en lui une absence titanesque, elle l'asphyxie, l'étrangle, et son regard dit qu'il donnerait volontiers dix ans de sa vie pour se débarrasser d'elle et se libérer de lui-même. Immobile maintenant à moins d'un mètre de moi, il continue cependant d'avancer, mais en moi, à travers moi, et la douleur coule par une fissure de sa poitrine jusqu'à la mienne. J'ai malgré moi un geste machinal comme pour la chasser, mais elle me prend très vite et je suis secouée par une lourde tristesse qui m'arrive de l'homme, qui *est* l'homme. Il élargit son univers, projette au-delà de nous des cercles toujours plus grands. L'angoisse flue encore, se répand jusqu'aux limites de l'anneau, nous englue l'un l'autre et nous rend complices. L'homme engendre alors une singulière assurance, subite et inexplicable. Poussé par je ne sais quelle confiance aveugle, il décide sur-le-champ de mon sort et du sien. Mais moi, quelle prescience m'aura donc conduite jusqu'ici? quel désir secret?

J'entends vibrer le mas, sans même avoir à le toucher, d'un murmure qui m'atteint jusqu'au ventre. Je pressens que tout, désormais, sera régi de main de maître; rien n'aura plus jamais lieu qui ne nous soit d'abord dicté.

* * *

Nous parlerons peu. Saisi d'avance, tout se trouvera englobé dans le silence et le geste.

Il met ses mains sur mes hanches. De ce contact naissent des millions de dards minuscules qui glissent sous ma peau et la soulèvent. Puis quelque chose d'extérieur vient la retourner. Dans la chaleur torride du plein midi, j'ai un peu froid.

Chacun des éléments de notre échange quotidien, même les plus ordinaires, procédera de la rencontre au pied du talus, de la connaissance immédiate, mieux, de la *science* que nous eûmes alors l'un de l'autre et qui se prolongera par une compréhension profonde, une transparence à laquelle n'eussent jamais pu donner vie les tentatives de rapprochement les plus rationnelles.

Le visage qui obombre le mien se teinte d'une forte repousse de barbe. Il doit blesser la peau qu'il touche comme une dosse. Mais j'ai envie de sa rudesse, envie de ses aiguilles dans mon cou, envie d'en rougir la rondeur de mon ventre et la chair lisse, moite déjà, de l'aine.

Nous agirons au cœur d'une totale harmonie, tour à tour dans l'autre et en dehors de lui, guidés par une sorte de mouvement perpétuel de l'âme qui dessinera des huit parfaits dont nous habiterons les boucles. Parfois une banalité nous tirera de notre mutisme consenti et nos paroles éclateront alors incongrûment. Nous les regarderons sortir, mesurées, de notre bouche, lettre par lettre, dans un camaïeu trop vif que nous recevrons comme une agression. Si peu faites à l'air dense que nous respirerons, elles retomberont plus lentement que de coutume, flotteront sans la moindre gêne, mettront à se taire ce qui nous semblera une éternité.

L'homme fait glisser ses mains vers le haut, vers la taille qu'il délimite. Je n'ai plus rien qui soit à l'abri; je me découvre nue, hantée.

Sans doute nous-mêmes aurons-nous ralenti notre allure. Le temps qui, pour chacun, filait auparavant à une vitesse excessive, à la remorque des aiguilles d'une montre devenue folle, prendra un rythme de croisière moins que normal, quasi stationnaire. Les jours succéderont aux nuits imperceptiblement et de même nous glisserons de veille à sommeil.

Ses doigts ouverts remontent sur mon corps jusqu'aux aisselles. Il me tient ainsi à bout de bras, il me possède des yeux et des paumes, il me cercle, il me lie.

Chacun de nos états durera, flottera au centre d'un univers aux limites estompées, un monde enfin devenu indéterminable, tout à l'opposé de notre vie d'avant dont le tracé défini se manifestait avec une netteté ahurissante. L'idée de la mort, qui auparavant s'installait partout, rapetissera au point de disparaître en nous laissant des illusions d'immortalité.

Sa bouche s'attarde sur ma veine jugulaire.

Nous inventerons librement le bonheur. Nous deviendrons des demi-dieux gratifiés d'une existence qui nous paraîtra éternelle. Nous forgerons un quotidien à sa mesure. Nous jouirons d'amnésies contrôlées qui nous rendront capables d'enterrer nos vieilles douleurs.

Abolies enfin les frontières du corps et de la peur, il est en moi et moi en lui. Les mots dits, les mots tus n'ont plus l'ancien tranchant des dagues.

Nous mettrons nos fatigues au repos, nous goûterons notre fief telle une orange coupée en deux dont nous aurions au préalable étudié l'agencement unique de ses quartiers. Nous dominerons le monde.

Un obus éclate dans ma poitrine. Mes côtes sont martelées par un déferlement de chocs et de retours.

La maison s'emplira d'un singulier murmure.

Je balle au gré du ressac. Seules ses mains me conservent entière. Ses mains d'homme, comme de larges flammes rouges.

Notre musique d'âme s'éveillera et notre vie prendra la forme pleinement sphérique d'un chant tout à fait achevé.

L'IMPOSSIBLE TRAIN D'ANVERS

À Jacques Sojcher

ELLE

Elle semblerait avoir oublié les raisons qui l'ont conduite ce matin de bonne heure à monter dans le train d'Anvers, si l'on ne se doutait pas qu'elle les a simplement mises *à côté* de sa mémoire.

Pour le moment, le soleil lui renvoie dans la vitre une image appauvrie d'elle-même, tandis qu'elle sourit d'abord à ce reflet, puis à sa main droite qui enferme le pommeau en ivoire d'une ombrelle bleue. Avec la gauche, elle défait et refait un pli de jupe, juste au-dessus du genou.

Elle est gantée. Le chevreau enserre ses doigts étroitement. Il se pourrait bien que cette seconde peau la couvre en réalité jusqu'à l'épaule si, par un caprice vestimentaire comme elle en a de fréquents, elle a mis avant de sortir des gants de soirée sous sa robe de voyage.

Le gentleman installé devant elle dans le compartiment où ils sont seuls s'inquiète sans doute de cela, car sans trop insister son regard se pose de temps en temps sur la main de la femme, puis remonte le long du bras, discrètement, comme cherchant à travers le tissu l'indice d'une complicité.

Elle feint de regarder dehors.

Lui, il lisse sa moustache à plusieurs reprises, puis il déplie son journal. Mais il voit bien que la main se fait plus caressante sur le pommeau de l'ombrelle bleue, et que d'un mouvement quasi imperceptible la femme a relevé un tout petit peu sa jupe pour dévoiler une cheville menue dans un bas très fin et très noir.

Elle aime qu'il la détaille sans s'en donner l'air à chaque fois qu'il prétend tourner une page, ou que, choisissant de s'intéresser une seconde au paysage qui défile par la fenêtre, il revienne et s'arrête sur elle, sur son visage, ses yeux, sa bouche — qui sourit juste à ce moment.

Mais elle aime encore mieux ceci: ce journal replié, posé sur les genoux du passager en face d'elle, comme un signal convenu. Sinon, pourquoi tournerait-elle vers lui son visage? Et s'ils n'étaient pas pris comme ils le sont par les yeux l'un de l'autre, fixement, longuement, ouvrirait-elle ainsi ses jambes avec lenteur?

Nous sommes devant un seuil qu'il nous est interdit de franchir. Mais nous nous hasardons à penser que des choses étonnantes se passent peut-être dans ce compartiment qui semble verrouillé de l'intérieur et dont on a, dit-on, baissé les stores. Un voyageur prétend avoir tout à l'heure entendu là des froissements de tissu et des paroles indistinctes, hachées comme des ordres (mais il est plus probable qu'il ait perçu sans oser l'annoncer le claquement d'un petit fouet). Un autre assure avoir entrevu par un défaut du store un gant couvrant un bras jusqu'à l'épaule et des bas très fins et très noirs.

Saurons-nous jamais s'il est vrai que le gentleman — sans toutefois se dévêtir — a mis la femme presque nue, et s'il lui a lié, comme on le dit, les poignets aux chevilles, ainsi que font ces hommes qui se veulent maîtres absolus d'un espace choisi de temps? Saurons-nous à quelles bouleversantes indignités il la soumet encore peut-être, dans ce compartiment fermé du train d'Anvers? Verrons-nous l'émotion et le trouble sur le visage de la belle voyageuse? Ou mieux, cette expression à la fois concentrée et satisfaite du gentleman quand, un peu las, il la délie, puis s'assied et ordonne qu'elle l'amuse?

Nous n'apercevrons rien. Nous n'entendrons rien. Nous ne verrons personne. Ni lui ni elle ne descendront du train d'Anvers.

D'une chambre où la perversité n'a pas d'autre théâtre, la femme à l'ombrelle bleue refait sans se lasser l'impossible voyage.

LUI

Il se prépare avec un soin extrême: il rase ses joues là où la barbe creuse un léger ovale, et le cou jusque sous le menton; il égalise le collier noir et dru avec de minuscules ciseaux; au moyen d'un tout petit peigne en écaille de tortue il lisse ses favoris et les sourcils épais couronnant ses yeux froids.

Avant de s'habiller il donne à son reflet nu le regard qu'il a accoutumé de réserver aux femmes vite croisées dans la rue: un regard d'aigle, entraîné, capable d'embrasser l'être entier en un battement de cils. Puis, ce regard se fige en une expression recueillie, grave sans doute, sans aucune ironie. Il paraît ainsi examiner avec une foison de détails l'architecture occulte de ses vices.

Plus tard, en chemin vers la gare, il entre dans un café pour boire un verre et réfléchir à l'étrange communion qu'il suscite, toujours identique et à la fois toujours neuve, aussi souvent qu'il obéit au désir de monter dans le train d'Anvers. Y perçoit-il l'intrusion d'un fragment de temps autre, plus réel de l'être au fond si peu, ainsi qu'il advient des rendez-vous qu'il aime donner et prendre, tout ensemble équivoques et précis: «Soyez au Luxembourg, dans deux ans jour pour jour, vers midi...»?

Les coups d'œil de surface, il les réserve aux caporaux en permission, aux nurses anglaises, aux baronnes, aux enfants, aux bouchers, aux poètes; il salue d'un coup de chapeau presque entendu le contrôleur, comme si, depuis le temps, un pacte s'était scellé entre eux. Le train est déjà en marche lorsqu'il aperçoit, dans le compartiment, la femme gantée: il reste assez longtemps sur le seuil, sans entrer, captif d'une cheville frêle dans un bas très fin et très noir.

Alors il s'assied et s'abîme dans une lente contemplation d'elle, par le menu, jusqu'aux géographies qu'elle tient cachées sous les tissus.

Fait-elle appel aux envies qu'il a l'élégance de voiler lorsque, feignant d'abord de s'intéresser au paysage qui se déroule par la fenêtre, elle imprime un écart à peine perceptible à ses genoux?

Puis, sans maintenant perdre de vue le gentleman, elle caresse avec lenteur le pommeau en ivoire de son ombrelle bleue.

Les ordres qu'il entend lui donner à présent d'une voix mesurée et égale, on peut exclure qu'elle les redoute: elle a elle-même des litanies qui expriment tout.

Nous ne saurions avec justesse nommer ce que laisse entrevoir — par mégarde? — un défaut du store, pourtant rien n'échappe à personne du rituel troublant qui se déroule dans ce compartiment fermé. Si le cruel, l'inapaisable empire qu'ont l'un sur l'autre les passagers des Flandres traverse les parois et insuffle aux témoins une science équivoque, nul n'en fait rien paraître: c'est neutres, sans ferveur, sans plaisir que tous les voyageurs descendent du train d'Anvers.

Mais faut-il s'étonner si leur âme porte encore l'énigmatique et invisible trace d'un *élargissement*?

2

MESSALINE

Amour vos baisers florentins
Avaient une saveur amère.

Apollinaire, *Alcools*

Dans le salon de musique revêtu de boiseries, comme il faisait humide, on avait allumé un feu. Ses lueurs doraient le bois sculpté du linteau et les deux petits marbres — des bustes — posés dessus. Par la fenêtre aux rideaux restés ouverts, la belle église de San Jacopo et le palais Frescobaldi semblaient peints en grisaille tant le ciel hivernal lourd d'eau et peut-être de neige s'écrasait sur eux, et on distinguait mal les statues cornières du pont fouettées par une violente tramontane qui s'acharnait sur leur ventre bombé. Malgré les torchères allumées, il régnait dans la pièce un mœlleux clair-obscur propice aux confidences et aux indiscrétions.

Retenant sous ses doigts le dernier accord d'un nocturne, Messaline se tourna vers le fauteuil de velours cerise où somnolait son mari.

— Relisez, je vous prie, ce poème. Lisez-le encore. J'aime cette métamorphose de l'été fait femme. Et puis, le temps est si noir dehors…

Il tressaillit au son de sa voix et son regard tomba sur le petit livre ouvert sur ses genoux.

Primamente intravidi il suo piè stretto
scorrere su per gli agi arsi dei pini
ove estuava l'aere con grande
tremito, quasi bianca vampa effusa.
*Le cicale si tacquero...**

Messaline effleurait les touches du piano, dessinait des arpèges, accompagnant distraitement la voix grave et harmonieuse de l'homme penché, dont les longs doigts blancs tranchaient sur la reliure gris souris. Elle l'avait aimé naguère. L'aimait-elle encore? En cet instant précis, malgré certain élan de tendresse envers lui, bref, aussitôt avorté, elle s'inquiétait de savoir d'où lui venait l'agacement qu'il lui inspirait, la haine même, lui si beau, si exquis, si...

Più rochi
si fecero i ruscelli. Copiosa
la rèsina gemette giù pe' fusti.
Riconobbi il colùbro dal sentore.
Nel bosco degli ulivi la raggiunsi.

Elle n'écoutait pas vraiment. Pas plus qu'elle n'était consciente du mouvement de ses doigts sur le clavier. Ils puisaient leur rythme dans celui des mots et agissaient d'eux-mêmes, comme détachés d'elle. Messaline observait son mari à la dérobée, redécouvrant en lui l'être faible, malléable qui l'adorait, certes, mais se pliait indécemment à tous ses caprices:

* Gabriele d'Annunzio, «Stabat nuda Aestas», *Alcyone*.

«Offrez-moi ce bijou.» Il lui tendait l'écrin. «Servez-moi du thé.» Il lui portait la tasse, allant parfois jusqu'à s'agenouiller près d'elle en tenant la soucoupe tant qu'elle n'avait fini de boire. «Marchez sur les mains, Emmanuel. Ouvrez la fenêtre. Fermez la fenêtre. Relisez ce poème, Emmanuel.»

Emmanuel. Un si grand nom pour un si petit homme.

Scorsi l'ombre cerulee dei rami
su la schiena falcata, e i capei fulvi
nell'argento palladio trasvolare
senza suono. Più lungi, nella stoppia,
l'allodola balzò dal solco raso,
la chiamò, la chiamò per nome in cielo.
Allora anch'io per nome la chiamai.

Il n'aimait pas la poésie. Mais il aurait relu d'Annunzio sur un ordre d'elle à en perdre la voix. Messaline lui en voulait de tant de servilité. Elle attendait toujours en vain le moment où il dirait non, où il s'occuperait enfin de lui-même d'abord, où il deviendrait raisonnablement égoïste. «Je n'aime pas que l'on me vénère, songeait-elle. Ni les animaux dressés. Ni les valets.» Le jeu l'avait amusée d'abord, puis ennuyée. Maintenant, Emmanuel lui inspirait un profond dégoût, un mépris tel qu'elle eût souhaité le voir se jeter à la rivière à son commandement. «Le feu, poursuivit Messaline in petto, ne vous ressemble que par ses dorures et ses ajours. Pourquoi continuer à prétendre?» (N'avait-elle pas lu cela quelque part encore hier?)

Tra i leandri la vidi che si volse.
Come in bronzea mèsse nel falasco
entrò, che richiudeasi strepitoso.
Più lungi, verso il lido, tra la paglia
marina il piede le si torse in fallo.
Distesa cadde tra le sabbie e l'acque.

Messaline se leva, contourna le piano de palissandre en faisant glisser un doigt au long de la frise qui le bordait et vint se placer à l'écart, derrière son mari.

Il interrompit sa lecture.

— Je vous lasse...

— Non. Continuez.

Mais il la lassait. Il la lassait depuis des siècles. En réalité, n'eût été son corps splendide qu'elle désirait en dépit du reste, Emmanuel lui faisait horreur. Le regard rivé sur la nuque de son mari, Messaline devina ce qu'elle allait faire. Longtemps refoulée, une envie qu'elle s'avouait enfin la saisit jusqu'à la nausée. Cependant, malgré elle et comme pour la narguer, un autre désir diffus s'emparait de ses cuisses, une sensation de vide moulait son estomac; elle eut chaud, d'abord. Puis un peu froid. Par un geste dont la sûreté l'étonna, Messaline défit une à une les agrafes de sa robe.

Il ponente schiumò ne' suoi capegli.
Immensa apparve, immensa nudità.

Ils s'aimèrent, mais cela est peu dire. Ou mal rendre la beauté de leurs formes tantôt nouées, tantôt disjointes. Longtemps il y eut des chuchotements, des feulements, des houles et des morsures. Longtemps aussi, de la douceur. Presque.

Messaline apaisée la première eut alors une faim différente. D'un bas de soie qui traînait à sa portée elle fit un garrot qu'elle noua insidieusement autour du cou d'Emmanuel. Lui-même docile jusqu'à l'outrance — ou croyant à quelque charnel caprice — ne résista. Il retomba inerte, si peu différent, en somme, de l'Emmanuel vivant.

L'âtre était vaste; on eût pu y rôtir un veau. Messaline écarta les chenets, tisonna le feu et y poussa le corps.

Comme elle enfilait sa chemise, une odeur de graisse fondue emplit le salon de musique. Messaline ouvrit la fenêtre avec calme et aspira un peu d'air frais. Dans le lointain, par une coïncidence qui la fit sourire, elle entendit sonner le glas au campanile d'une très belle et très ancienne église.

ALORS, QUOI...?

Je conduis une voiture. Je ne suis, par conséquent, ni sourde ni aveugle. On m'opposera que je ne suis pas pour autant saine d'esprit; soit. Cependant, un certain nombre d'indices glanés au fil de ma vie me rassurent, moi, sur la santé de ma tête, et c'est avec la ferme conviction de posséder pleinement toutes mes facultés que je vous raconte ceci, puisque vous me pressez de le faire et bien que je doute de votre aptitude à saisir — non, ne vous offusquez pas... — le bizarre de cet événement.

Ainsi vous, ou encore vous, sauriez-vous expliquer de façon plausible pourquoi, ce jour-là, je sautai dans ma voiture et me dirigeai vers une grande quincaillerie située aux limites extrêmes de la ville, alors qu'il y en a une tout près de chez moi, où je pouvais certes trouver l'outil désiré? Une hache, messieurs. Mais pourquoi une hache? Et en pleine ville? Une scie, passe encore. Ou une égoïne avec laquelle ajuster une patte de chaise ou raccourcir une étagère de fortune. Mais une hache? Pour assassiner mon père, direz-vous? Ne faites pas cette tête. Je vous assure que ce sont des pensées qui peuvent venir à la meilleure des filles. Mais, trêve de billevesées; allons droit au fait.

Parcourant boulevards et voies rapides, ponts, viaducs et quartiers dits résidentiels, je finis par arriver dans l'une de ces zones désolantes parsemées d'entrepôts, d'usines et de compagnies pharmaceutiques auxquels les aires de stationnement paysagées et les bureaux remplis de plantes en pots confèrent une fausse élégance, une sérénité calculée, bonnes, selon les spécialistes, «pour le moral et la productivité des employés». Non sans peine, je trouvai la quincaillerie que je cherchais. Elle avait moins les dehors d'un magasin agréable où fouiner parmi les boulons, les vis et les clous que ceux de ces ternes agences de location d'outils et de matériel lourd où, sous les jurons de mastodontes qui soulèvent d'une main des marteaux-piqueurs et les rires gras des préposés à la réception des pelles mécaniques, on passe pour une imbécile si on réclame un coupe-verre ou un pistolet à vernis: «Vous êtes bien certaine de savoir vous en servir?»

Je garai ma voiture près de l'entrée. À l'intérieur, rien que de très banal: étagères remplies de bidons de peinture, panoplies de clés anglaises et de tourne-vis, vitrines où s'entassaient pentures, paumelles et loquets en fer forgé du plus pur mauvais goût, robinetterie, tuyauterie, tuiles et tout le saint-frusquin. Je mis bien trois-quarts d'heure à attirer l'attention d'un employé. Comme d'habitude. Passant et repassant par une fenêtre — oui, oui, une fenêtre — ouverte derrière son comptoir, il semblait avoir pour principale fonction de reluquer et d'accoster les passantes que le hasard lui amenait. L'une d'elles, qu'on eût dite maquillée à la chaux, m'apparut si indigne d'un tel empressement — au détriment de la clientèle — que j'en fis un cas.

— Hé là! jeune homme! Vous allez longtemps faire le kangourou?

Il enjamba de nouveau la fenêtre et, lissant avec la main sa chemise brodée au nom de la compagnie, il feignit un air contrit:

— Madame désire?

— Madame en a marre! Et Madame s'inquiète de savoir où diable vous cachez les haches qui ne se trouvent pas, de toute évidence, avec les outils.

— Les haches sont des objets particuliers, Madame. Nous leur réservons un rayon spécial, Madame.

— Seriez-vous assez aimable de me dire lequel?

— Le rayon des haches, Madame.

— Dieu que je suis bête! Comment n'y ai-je pas pensé? Sauriez-vous m'indiquer où il se trouve?

— Vous traversez les ustensiles de cuisine, vous allez jusqu'au fond passé les foreuses et plus loin, les engrais. Vous trouverez une porte. Vous l'ouvrez, vous faites ensuite trois petits pas dans la cour, vous contournez un cabanon et vous trouvez une autre porte. C'est là.

Ce disant, il avait tracé un plan au verso d'une facture. Je le pris.

Un passage large et plutôt court séparait le rayon des ustensiles de cuisine du reste du magasin. Un panneau m'empêcha d'avancer: «Fermé pour cause d'inondation». En effet, de l'eau mouillait déjà mes chaussures. Je rebroussai chemin.

— Vous vous moquez de moi, ou quoi?

Le vendeur éclata d'un rire franc tandis que l'autre commis jonglait avec des boutons de tiroirs en imitation de porcelaine.

Je vois à votre air malin que vous ne croyez pas un mot de ce que je vous dis. Je vous assure toutefois que, fussiez-vous une femme, vous constateriez aisément que ce sont là sottises propres aux employés de quincailleries et qu'ils se gardent bien d'en faire étalage devant la clientèle masculine. Néanmoins, ce musée d'ânes s'éclaira un moment d'un atome d'intelligence, assez pour qu'on m'indique une autre route. Je pouvais accéder aux haches par l'ascenseur.

— Mais faites vite. Nous fermons à dix-sept heures pile, dans trois minutes. Si vous courez, vous aurez le temps. Dépêchez-vous! Vous n'ignorez pas le sort qui attend les malheureux qui se laissent surprendre par la fermeture du magasin...

Il eut un ricanement narquois en saisissant sa casquette qu'il enfonça de guingois sur son crâne de bourrique. En même temps, la porte de l'ascenseur s'ouvrit et cracha une marée d'hommes en chapeaux et en habits. Tous tenaient un porte-documents et se précipitaient vers la sortie. À l'instant même, une horloge sonna les cinq coups.

Renonçant à mes emplettes, je me mêlai à la

cohue qui dévalait maintenant un monumental escalier flanqué de colonnes doriques et débouchant, au-delà de hautes portes en bronze, sur un parvis grand comme une patinoire. D'autres degrés à peine plus modestes menaient de ce portique au terrain de stationnement. Je ne m'inquiétai guère — sans doute à tort — de ce décor fastueux, car il faisait déjà nuit noire et peut-être avait-il plu, puisque je marchais dehors dans une boue épaisse. Ma voiture n'était pas en vue. Je ne reconnaissais pas l'endroit. Je me dis qu'il y avait sûrement plus d'une issue et que ma voiture devait se trouver de l'autre côté de l'édifice. Je résolus d'en faire le tour, traversant tant bien que mal des voies d'accès de camions et des rampes de chargement, et longeant des clôtures métalliques. Je repassai enfin devant la porte par laquelle j'étais entrée plus tôt. L'absence totale de lumière rendait le décor lugubre et je pressai le pas, cherchant toujours vainement ma voiture que je pouvais pourtant jurer avoir garée près de là. J'aperçus finalement un halo provenant d'une guérite où se tenait une jeune fille qui mâchouillait des chocolats. Chose étonnante, elle ne semblait pas soucieuse de l'épaisse neige qui s'était mise à tomber, et restait là, en pleine bise, dans une chemisette de coton quadrillé et se léchait les doigts avec application.

Je vis tout à coup ma voiture qui démarrait apparemment toute seule et filait pleins gaz en dérapant dangereusement.

— Hé! Mais c'est ma voiture! Arrêtez! Non, mais qu'est-ce qui vous prend?

L'enfant — car c'en était une — me regarda sans sourciller.

— Faut pas vous en faire. C'est ma copine. C'est seulement pour aller chercher le linge.

— Le linge? Quel linge? Dites donc! Non, mais ça va pas? Et regardez-moi ça, elle va faire un accident, votre copine! Et avec MA voiture!

Aussitôt dit, aussitôt fait. Il y eut un fracas épouvantable. Ma voiture percuta un camion. Des morceaux de métal volèrent de tous côtés. Il ne resta plus de ma pauvre petite japonaise pratiquement neuve qu'un amas de ferraille.

J'ai couru voir, vous pensez bien. Or, voilà: il y a quelque chose que je n'arrive pas encore à me mettre dans la tête. La victime, celle qui conduisait ma voiture, celle qui allait chercher le linge, celle qui a traversé le pare-brise, celle dont le crâne a éclaté en projetant des lambeaux de cerveau sur la chaussée, eh bien, je l'ai vue, je l'ai même reconnue: c'était moi. Tout à fait et absolument moi. Pourtant, je suis ici, bien vivante, à vous le dire... Mais c'était moi! Et les journaux, le lendemain, ils ont publié MA photo! Et tous les jours depuis! Tous les jours, tous les jours il y a là MA photo en première page, MOI, baignant dans mon sang! Ma photo! Tous les jours, cette première page de journal avec laquelle vous persistez à essuyer vos lunettes, docteur! Avec Ma photo, docteur! Alors, quoi...?

ELVIRE

— Dormons, dit-elle. Avons-nous mieux à faire puisque tout sera bientôt terminé?

Il ne put comme elle se laisser gagner par un sommeil paisible. Cette remarque l'inquiétait. Elvire avait souvent, après l'amour, d'étranges prémonitions qui tôt ou tard s'avéraient. Dans la plupart des cas, il ne s'agissait que de banalités: la chute d'un arbre dans la cour, la venue d'un chien errant, une déclaration de guerre, l'annonce d'un mariage morganatique ou celle de la mort d'un pape. Cette fois, Elvire avait affirmé: «Tout sera bientôt terminé» comme elle eût simplement dit: «Voulez-vous bien me passer le sel?»

Lui, terrifié à l'idée de la mort tout court et de la sienne en particulier, imaginant le terrible cataclysme devant marquer la fin des temps et sa fin propre, se tournait dans le lit de côté et d'autre en proie à une terreur grandissante tandis qu'auprès de lui, sereine et quasi souriante, Elvire dormait.

Il descendit à la cuisine. Ouvrit le réfrigérateur.

En tira le lait. Voulut s'en verser un verre. Y renonça. Dans sa tête résonnait de plus en plus la voix d'Elvire, cette phrase pourtant quelconque qu'elle avait prononcée: «Tout sera bientôt terminé», et d'autres phrases aussi, qu'elle avait tues mais qu'il entendait clairement se mêler à la première dans un fracas de plus en plus ahurissant, des phrases telles: «Nous allons mourir! Ça y est! C'est fini! Les prophètes ont enfin le dernier mot! Voilà qu'on y passe aussi! Adieu! Adieu!» et quoi encore. La sueur glissait dans son dos comme une lame de couteau glacée, un poids énorme oppressait sa poitrine. Il vacilla sous le coup d'une douleur aiguë dans la région du plexus. Voulut chercher un appui quelque part. N'en trouva point. Tomba. Mort? Sans doute. Plus certainement, inconscient.

Elvire — qui avait feint le sommeil — entra alors dans la cuisine et, sans pitié pour l'homme étendu sur le carrelage, tira et poussa sa masse inerte jusqu'aux abords d'une trappe donnant accès à la cave. L'ayant ouverte, elle y fit, par quelques judicieux coups de pied, basculer son mari. Les rats affamés proliférant au sous-sol depuis qu'Elvire y avait enfermé deux couples achetés à vil prix d'un sorcier nègre n'en firent qu'une bouchée.

Remontant vers sa chambre, Elvire s'arrêta devant une glace pour replacer une mèche rebelle.

— Dormons, dit-elle à son reflet. Avons-nous mieux à faire puisque tout est terminé?

LE TRAIN

Ici c'est par routine
qu'on va à la mort
et non par erreur...

Georges Castera, fils

Ni cellule ni chambre de clinique, le réduit où je travaille participe cependant des deux comme en témoignent les plafonds hauts, les murs d'un blanc aseptique et l'absence totale de fenêtres. Au centre de cette pièce exiguë, un pupitre sur lequel je trouve, chaque matin, une pile imposante de fiches quadrillées plus ou moins couvertes de X disposés pour obéir à des géométries variables dont la signification m'est à ce jour demeurée obscure. Mon unique tâche consiste à folioter ces cartons en rouge ou en vert selon que le total des X contenus sur chacun est pair ou impair: rouge pour les nombres divisibles par deux, vert pour les autres. Il y a trois mille fiches par jour ainsi confiées à mes bons soins sans que je voie jamais qui me les porte et qui me les reprend et, chose étrange, cette quantité immuable correspond avec exactitude à la durée de ma journée de travail. J'occupe cette fonction depuis si longtemps qu'il me serait impossible, même par un violent effort de mémoire, de me rappeler quand je suis entrée au service de mon employeur dont le nom m'est du reste inconnu. Ma vie semble se dérouler ici depuis toujours. Ici, mais aussi *là* où le même guide me conduit chaque soir et où je participe à d'inquiétantes activités dont le déroulement et la teneur ne varient pas d'un iota.

Mon bureau donne sur un corridor étroit d'une longueur oppressante, que ne perce aucune porte et qui débouche tout au fond sur un escalier à pic. Personne n'y circule jamais pendant la journée, bien que j'entende parfois des éclats de voix provenant de Dieu sait où, des bruits de tiroirs qu'on ouvre et qu'on ferme, des crépitements de machine à écrire. Tout cela me donne à penser qu'il doit y avoir d'autres employés quelque part, mais je n'en ai encore vu aucun. À intervalles égaux, une sonnerie se répercute dans le couloir pour marquer le temps. Avec celle de cinq heures, j'inscris le dernier folio, je range la plume à encre rouge et la plume à encre verte et je lève la tête. Mon guide est déjà là.

Grand, mince, élégant et plutôt bel homme, il porte un costume bleu de coupe impeccable sans le moindre faux pli. Malgré le pansement qu'il a au front, il semble bien portant. Je lui dis néanmoins tous les soirs:

— Votre blessure vous fait-elle souffrir?

Toujours il se tait. Répondrait-il une seule fois, je verrais là une brèche dans l'uniformité de nos agissements. Je quitte donc ma place sans attendre de réponse et contourne le pupitre pour m'approcher de lui. Il me précède alors au long du corridor jusqu'à l'escalier que nous gravissons, toujours sans échanger de paroles. À la soixante-quatrième marche exactement, il se met à hurler comme une bête et, saisissant ma main, escalade les derniers degrés au pas de course en m'attirant derrière lui, avant de me pousser violemment au-delà d'une porte qui se ferme aussitôt dans mon dos avec fracas.

* * *

Un wagon de chemin de fer. Les yeux fixant le vide et les mains posées à plat sur leurs genoux, quelques personnes y sont assises, des hommes et des femmes en nombre à peu près égal, paraissant saisis d'un complet état d'hébétude. Je prends place au milieu d'eux. Bien vite, je suis gagnée par la même catalepsie. Parfois, sans toutefois que le train s'arrête, on entend une porte claquer. Quelqu'un d'autre pénètre dans le wagon et s'assoit avec nous.

Je sais qu'*il* en a beaucoup, comme ça, qu'*il* garde sous terre. De temps à autre, *il* les fait sortir et les habite. Nous habite. Nous dirige. Nous commande. *Il* nous rassemble chaque soir dans ce train qui file souterrainement vers la crypte. Rien n'est visible par les fenêtres. Nul ne parle. On entend seulement le bruit assourdissant des roues métalliques sur les rails et la respiration rauque et régulière des passagers.

Je sais où nous allons. Je sais aussi ce qu'*il* nous

obligera à faire. Cette nuit ne sera pas différente des autres. Il n'y a pas de raison qu'elle le soit.

Le train s'arrête. Nous en descendons suivant un cérémonial invariable pour pénétrer sous une voûte basse et sombre, assez petite au demeurant, autour de laquelle des niches, pratiquées dans la paroi, nous attendent. Chacun de nous en occupe une et y demeure immobile, parfois toute la nuit, ou jusqu'à ce qu'il soit appelé.

Ceux qu'*il* désigne se rendent deux à deux au centre de la crypte. Pendant quelques minutes ou quelques heures dont *il* détermine la durée, les «élus» se livrent à de singuliers combats au cours desquels ils tentent — sans toutefois jamais réussir — d'égorger leur adversaire. Les duels comportent des règles très précises variant selon *son* bon vouloir et connues des seuls participants qui doivent les observer sous peine des pires punitions. L'un d'eux subit-il des blessures (ce n'est pas toujours le cas)? Nul n'a le droit de lui venir en aide. Chacun de nos mouvements doit obéir à un ordre de *lui*, et cet ordre ne nous est jamais donné.

Les combats atteignent parfois un degré de boucherie proprement indescriptible. Mais moribonds ou mutilés, intacts ou lacérés, les duellistes trouvent encore la force d'obéir à *son* ultime commandement. Du reste, ont-ils vraiment le choix de refuser?

Lorsque la guillotine apparaît soudainement sans qu'on ait su comment, d'elle-même et sans sourciller la première victime s'y agenouille en tendant bien le cou.

La lame, en tombant, fait un claquement violent dont l'écho se répercute jusque dans le bureau où je me trouve tout à coup, sans transition. Crypte, train, combattants, tout s'est volatilisé.

Une pile de fiches nouvelles à folioter. La plume à encre rouge. La plume à encre verte. La sonnerie de neuf heures. Une autre journée en tous points identique aux précédentes.

Il ne m'a pas encore appelée.

LUCRÈCE

C'est une femme belle et de riche encolure
Qui laisse dans son vin traîner sa chevelure.

Baudelaire

D'ordinaire muette, elle choisit cependant d'enjoindre l'homme debout près de la porte cochère de se couvrir par un tel temps. Elle eut pour le dire, en nouant plus serré autour de son cou laiteux une cravate d'hermine, une voix si lointaine et si friable qu'il est possible qu'elle n'ait pas vraiment parlé mais seulement remué avec une extrême lenteur des lèvres déjà un peu bleuies. Ses cheveux ramassés en chignon sur sa tête étaient retenus par une coiffe difficile à décrire, qui encadrait à la perfection l'ovale de son visage et en empruntait la blancheur. Elle ne daigna pas porter sur l'homme ses yeux de félidés dont le jaune ne se troublait jamais de taches plus sombres, mais resta attentive à chacun de ses pas, posant les pieds au sol avec d'infinies précautions.

L'homme, incliné par déférence, trouva qu'elle mettait bien du temps à avancer. Il sentit le soleil lui peser sur la nuque et le tremper. Il reconnut la sueur poisseuse qui marquait sa chemise aux aisselles et au col. Il soufflait avec peine, le front penché vers les herbes rases que cette sécheresse finirait certes par embraser, mais n'osait point lever la tête pour regarder Lucrèce dont la glaciale beauté eût pu l'aveugler. Il patienta.

Longtemps après, la femme franchit le seuil, escortée comme une reine par douze lévriers de Russie.

Il importe peu de savoir que l'homme, quand il eut refermé les battants et, pour ainsi dire, serti Lucrèce dans son précieux domaine, retourna à des tâches plus ingrates. La femme elle-même ne s'en soucia pas. Non plus ne la touchèrent ses jardins indécents quand elle les traversa, insensible aux fragrances des glycines et des roses et plus habile encore à ignorer les arbres en fers de lances dressés contre le mur du sud. Ils formaient un prolongement naturel de la forêt qui, au-delà de l'enceinte, accompagnait de paresseuses collines jusqu'aux premières banlieues où Lucrèce ne s'aventura jamais qu'à l'occasion de défaites amoureuses. Pour cuver sa peine, elle allait rôder de nuit dans les gares de triage en nourrissant le secret espoir de rencontrer là l'issue de ses égarements. Mais il ne s'y trouva jamais de brigadier qui fît une fausse manœuvre, de telle sorte que Lucrèce ne connut de répit qu'en s'astreignant à un refroidissement graduel des sens qui devait avec le temps se communiquer à toute sa personne.

Elle menait donc depuis plusieurs années une vie austère, vouée à la pratique de l'engourdissement, qu'il fût d'elle-même ou de tout ce qui composait son entourage, bien qu'elle se permît parfois des promenades sylvestres à la faveur de rares sursauts d'humanité. Mais loin de réchauffer son cœur, ces flâneries ancraient Lucrèce dans sa décision d'atteindre de son vivant, par la seule force de la volonté, à une forme parfaite de *rigor mortis*. Possédant plus d'adresse à susciter un tel état chez ses chiens, elle leur avait inculqué un sens étonnant de la rigidité. Sur un ordre d'elle ils s'asseyaient au jardin dans une imitation achevée d'animaux de faïence: leur poil se lissait, acquérait un luisant de glaçure; leurs yeux paraissaient des œufs durs débarrassés de leur coquille; leur gueule ouverte, qui n'émettait ni grognement ni aboiement, devenait aussi blanche au-dedans qu'au-dehors et arborait deux rangs de crocs plus satinés que de la porcelaine anglaise. Les lévriers gardaient la pose sans se lasser par n'importe quel temps et sans demander d'os à ronger tant que Lucrèce ne se laissait pas gagner par la fantaisie de les tirer de leur torpeur.

Elle-même montrait toutefois des progrès moins rapides, ne réussissant souvent qu'à se maintenir dans une ataraxie étudiée qui flanchait au moindre relâchement. Elle n'en persévérait pas moins, cherchant à diminuer sa motricité par toutes sortes d'épuisants exercices, l'un d'eux — et non le moindre — consistant à rétrécir au maximum son champ visuel. C'est ainsi que ce jour-là, comme elle passait devant les fontaines dont l'eau, bue par le soleil d'août, avait laissé des traces verdâtres au fond des bassins, des salissures pleines d'insectes et de poissons morts, Lucrèce les longea sans les regarder.

Elle plaça ses chiens en sentinelle sur les terrasses, contre les balustrades, au bas des escaliers et sur des piédouches dépouillés à dessein des grands cratères de granit naguère chargés de plantes grasses ou de citronniers nains. Elle les posta au bord des vasques, parmi les hibiscus de Chine et sous les pins Montezuma. Elle les abandonna à l'ombre des murs harnachés d'oléandre et près des niches envahies par le lierre qui agrippait aux cuisses des Amours et un Persée. Elle les figea d'un seul commandement devant les portes vénitiennes et sous les fenêtres à dentelle de pierre. Ils y montèrent une garde muette, étrangers aux oiseaux qui déjà nichaient sur leur museau en forme de glaive, sourds à leurs piailleries et insensibles, dans la froideur de la métamorphose, à leurs fientes jaunes comme des pustules de crapauds. Ils demeurèrent de marbre, roides malgré la brume hivernale qui prit le jardin d'assaut, paralysa et givra tout sur un ordre inaudible de Lucrèce, Lucrèce qui, elle, disparut aussitôt derrière une porte dont les vantaux firent en se fermant un bruit monumental de foudre. Il résonnait encore quand, dédaignant les antichambres du château, ses bibliothèques, ses salons démesurés tendus de gobelins, ses boudoirs où, fanés dans leurs vases, des bouquets d'ancolies dégageaient un relent mortuaire, Lucrèce atteignit la rampe d'accès de la salle d'armes. Elle vint s'asseoir à une table étroite en retirant sa coiffe, libérant du même coup une abondante chevelure dont quelques mèches, comme elle penchait le front, trempèrent un temps dans une coupe remplie de vin déposée là, bien avant qu'elle n'arrive, par un serviteur prévenant.

Il dit: «Madame désire-t-elle autre chose?» Mais Lucrèce ne releva pas la tête ni ne lui répondit. Elle ouvrit seulement des yeux jaunes pleins de stupeur, saisissant pour la première fois dans la voix ironique du valet qui la considérait depuis son poste devant les armures les raisons de ses progrès trop lents. Elle étouffa une envie subite de l'écarteler, ce Joseph récalcitrant qui résistait par Dieu sait quelle puissance, qui repoussait l'engourdissement, freinant par là l'avancée de Lucrèce dans le monde des morts-vivants, car elle comprenait tout à coup qu'il lui fallait d'abord les soumettre tous, tous autant qu'ils étaient, tous, chiens, chaises, hommes ou plantes, avant d'accéder elle-même à la bienheureuse inertie, à l'euphorique morsure du gel.

Par un signe de la main, Lucrèce congédia son domestique.

Bien résolue à mettre toutes ses énergies au service de son ultime dessein sans plus perdre une minute, elle fixa devant elle un point neutre et appela ses pouvoirs, les concentra, les réunit et les lia en une sorte de rayon mortel d'une indicible intensité. Elle crut un moment que son crâne s'ouvrait sous la tension qui lui martelait et la nuque et les tempes mais elle tint bon, combattit sa faiblesse et finit par dominer la situation. Alors, dans les salons, ce furent d'abord les tapisseries qui se raidirent sous le frimas engendré par Lucrèce, puis les lustres se couvrirent à leur tour d'une gelée blanche. On vit par tout le château, meubles, objets et boiseries peintes s'enchâsser dans un étui vitrifié et jusqu'aux parois se fendre par la force du froid. Dans les lézardes ainsi formées gonflèrent des blocs qui éclatèrent ensuite en milliers de cristaux, ils jonchèrent le sol déjà luisant où les méandres des tapis, leurs fleurages et leurs bêtes mythiques parurent fossilisés. Pendant ce temps, aux cuisines, les boulangères et les mitrons voyaient la pâte prendre une consistance de verre, leurs mains ne s'en pouvaient plus détacher, ils regardaient monter le gel le long de leurs bras avec des yeux remplis d'horreur, mais leurs cris mouraient au fond de leur gorge, car eux-mêmes se transformaient en une substance dure et plus pâle que des Sèvres. Il s'éleva à ce moment un vent violent qui charroyait des grêlons de la taille d'un pois chiche, forçait les portes des chambres, fouinait dessous les lits. Il répandit partout des traînées de grésil lumineux pareilles à une queue de comète restée accrochée aux linteaux des fenêtres et aux baldaquins, il suspendit aux torchères et aux soffites des concrétions aussi friables que des hosties, il fit tout cela et plus encore sous le regard amusé de Joseph toujours bien pris dans sa chair tiède qu'aucune gerçure n'entachait, mais n'ignorant rien des efforts décuplés de Lucrèce qui combattait sa résistance et s'acharnait à vouloir faire de lui son plus brillant colosse de glace. Elle visait le plexus, la tendreté de l'estomac, imaginait Joseph durci comme une pierre. Elle mettait tant et tant de fureur à conserver sa transe, les doigts en serres d'aigle sur le plateau cristallisé de la table soudée au sol par des glaciers dans cette salle où rien, ni des cuirasses, ni des heaumes, ni des lances, ni des épieux n'était reconnaissable, rien hormis Lucrèce, Lucrèce qui respirait par à-coups, Lucrèce ivre de rage et sur le point de craquer. Mais soudainement Joseph sentit un fer brûlant lui transpercer le corps, il se recroquevilla en hurlant plus fort qu'un possédé, chancela, chercha des points d'appui sur les surfaces glissantes qui le repoussèrent, sur les arêtes qui le lacérèrent tandis que le gel le mordait avec ses dents chauffées à blanc, l'envahissait par le dedans, se communiquait à ses artères, coagulait rapidement toutes ses humeurs fondamentales. Puis les cris de Joseph faiblirent, décrurent aussi les violents spasmes qui l'avaient secoué. Il s'immobilisa au sein d'une cristallerie bleutée, lui-même devenu un quartz limpide renfermant des viscères éclatés qui l'allumaient de prismes, splendide forme pétrifiée dans un château absurde et somptueux.

Lucrèce sut qu'elle avait remporté la victoire. Les traits de son visage se relâchèrent et reprirent leur harmonie florentine. Elle se leva pour parcourir les salles vastes, les réduits, les placards, toutes pièces grandes et petites empanachées de glace, et les corridors blancs flanqués par des idoles grotesques où, maintenant, on devinait à peine les formes d'anciennes statues. Elle sourit d'aise à la vue de sa propre chambre avec son lit orné de singuliers glaçons fixés au dais comme des lambeaux de moustiquaire, reconnut sous le givre son linge fin et ses dentelles raidies; elle se fraya un chemin à travers les cristaux, les aiguilles, les flocons, puis elle s'allongea en croisant les mains sur sa poitrine et, blanche prêtresse dans son décor de cathédrale, dans son théâtre extravagant, belle gisante sur son sarcophage, elle se laissa lentement envahir par le froid.

LE PAIN D'ÉPICES

J'ai longtemps hésité avant d'y mordre. Oh, croyez-moi, non par vertu ou discrétion: les effluves d'anis, sans doute, qu'exhalait le gâteau formaient au-dessus de la table un dôme sensible où pouvait s'ajuster ma détermination à ne tirer de la vie que d'agréables sucs. Tel poète goûte le spectacle d'un envol d'oiseaux migrateurs, tel autre se repaît à la musique primordiale de la mer, chacun puisant dans ces simples exercices la volonté de vivre et certain bonheur. Ainsi moi, ce jour-là, m'imbibais-je de cette joie que me procure invariablement tout parfum épicé, l'aspirant par grandes bouffées étourdissantes, y flottant comme en un sain délire qui retardait d'autant la première bouchée.

Elle vint quand même. Pas avant, toutefois, que je n'eusse admiré la pâte cuite à la perfection, la forme exquise de la friandise, ces petits pieds reproduits avec tant d'art, ces jolies mains si vraies et si fragiles, tout ce minuscule corps à peine rebondi que recouvrait une pellicule de sucre délicate et rosée comme une peau.

J'employai quelques minutes à ce délice, ravi de constater à quel point la pâtissière, en l'occurrence, ma femme, avait été habile à recréer les plis, les creux, les ressauts, les courbes, à faire un pain d'épices si proche de la réalité qu'un esprit moins attentif que le mien eût succombé au leurre et cru voir sur la nappe un poupon véritable.

Pour moi, ce fut la fête. J'enfournai le gâteau encore tiède avec un appétit vorace, déglutissant bruyamment comme un ogre et ramassant les miettes en y pressant le bout humide de mon index. Je mangeais néanmoins avec méthode: d'abord un pied, puis l'autre, la jambe droite avant la jambe gauche, symétriquement aussi les mains et les bras; j'attaquai ensuite le ventre et l'estomac. Fesses, dos, poitrine, épaules. Tout, la tête en moins, y passa.

Je me pourléchais les babines d'aise, lorgnant avec une passion robuste la tête, ce dessert, quand je vis qu'elle bougeait en émettant des glouglous à la fois impatients et dociles. «Nulle réticence, donc, me dis-je; voilà bien un pain d'épices qui se laisse avaler de bon cœur!»

J'allais planter mes dents tout autour du menton à peine plus gros qu'une mirabelle quand ma femme fit irruption dans la cuisine: «Ah, non! Cette fois tu exagères! Va pour l'amour paternel, mais il y a des limites!»

Elle mit de la farine au fond d'un bol, incorpora le lait, les œufs, la mélasse, le gingembre, la cannelle, l'anis, râpa dans le mélange un peu de noix muscade, fit également quelques autres ajouts, brassa énergiquement le tout en maugréant des phrases impossibles qui, en temps normal, me mettent hors de moi mais où je trouvai, ce jour-là, dans une sorte de honte naissante, des éléments de réflexion:

— Avec vous, les hommes, tout est toujours à recommencer! Et cette manie de ne pas savoir où la plaisanterie s'arrête et où le sérieux commence! Quelle vision tordue des choses vous avez, mes pauvres petits! Ah, est-ce Dieu possible d'être aussi nul à distinguer le vrai du faux? Et tu leur donnes un pouce et tout le pied y passe, littéralement! On ne peut même pas faire un gâteau sans qu'il le prenne pour sa fille, encore moins lui faire une fille sans qu'il la prenne pour un gâteau! Allez y comprendre quelque chose... Ça lui aurait bouffé le crâne autant que le cœur avec allégresse si je n'y avais mis le holà! Papillon sans cervelle! Tu ne vois vraiment pas plus loin que le bout de ton nez!

Le second gâteau mis à cuire, elle sortit en claquant la porte. Je restai là, tandis que du four un puissant arôme sucré venait me chatouiller les narines. Quand le pain d'épices fut prêt, ma femme revint et le plaça bien en vue sur la table. Je dus mettre en commun toutes mes forces afin de n'y point céder. Je ne l'ai pas dit à ma femme — elle avait bien assez de raisons de croire que j'avais tourné — mais je parierais qu'il (?) m'a bel et bien adressé un clin d'œil.

Ma femme rangea les bols avec une fureur adroite née de l'expérience et conclut:

— Et moi? Je me repose quand, dans tout ça, s'il faut constamment refaire des fournées?

Sans queue ni tête. Injuste aussi, par moments... Allez donc, quand elle se trouve dans cet état, les nerfs en boule et la cuiller agile, lui faire admettre que moi, l'amour, ça me rend aveugle et m'ouvre l'appétit?

Je cédai tout de même. Malgré moi. La diète. Je ne bouffe maintenant que des laitues.

RADKO

Radko ramena le drap moite sur ses épaules en se tournant du côté du mur. Un rêve fuyait déjà sa pensée consciente; il le laissa s'y dérober, s'échapper couche après infime couche par une singulière échancrure ouverte dans le noir mobile de son cerveau; il vit l'obscurité happer comme une bouche ses imaginations nocturnes, les broyer une à une, les réduire à néant; il vit des formes étonnamment légères avalées par une substance opaque qui les buvait telle une éponge, les absorbait à longs traits. Il ne fit aucun effort pour retenir l'image, pour se rendormir *dedans*. Il se laissa plutôt distraire par la position inconfortable qu'il avait choisie, nullement compensée par la chaleur suffocante qui transformait en étuve cette invention diabolique en forme d'étagère où il devait dormir juché, cette couchette supérieure décidément trop courte et trop étroite, si voisine du plafond qu'en s'asseyant il touchait celui-ci avec sa tête.

Radko toussota et se racla la gorge. Pas la moindre brise n'entrait par le hublot de la minuscule cabine. En quête d'air, il inspira profondément et se remit sur le dos.

Il ouvrit les yeux. Quelque chose achevait de l'éveiller. Une noirceur épaisse régnait, plus lourdement que d'habitude. Il sembla même à Radko qu'il pouvait la prendre dans ses mains, en faire une boule, lui donner des formes. C'était une nuit poisseuse, pareille aux nuits des pays chauds et humides, une nuit concrète et argileuse, une nuit grasse, intensifiée par le silence qu'on eût cru lui aussi pétrissable tant il occupait de place, tant il habitait tout le volume de la pièce.

Voilà. C'était donc cela. Le silence. Voilà ce qui clochait depuis tout à l'heure. Radko tendit l'oreille. Rien. Absolument. Rien qu'un silence anormal. Radko n'entendait pas le clapotis des vagues sur la coque. Il n'entendait pas le ronflement de Miloš dans la couchette au-dessous de la sienne, Miloš qui, d'ordinaire, vrombissait comme un supersonique. Mais surtout, il n'entendait pas le ronron des machines et constatait subitement qu'il ne percevait plus leur continuelle vibration. Il toucha la paroi en quête de la trépidation à peine sensible qui l'agitait toujours sauf à l'arrêt et ne rencontra qu'une surface dormante parfaitement immobile.

Radko repoussa le drap et s'assit en laissant pendre ses jambes dans le vide. Ses yeux ne parvenaient pas encore à sonder l'obscurité totale qui paraissait avoir été coulée là comme du béton. Il pencha un peu le torse vers l'avant en se retenant au châssis de la couchette pour tenter de distinguer, plus bas, la forme de

Miloš endormi; en vain. Puis il voulut faire de la lumière, mais l'ampoule de la veilleuse, grillée sans doute, resta sombre.

Il sauta à bas du lit, saisit son pantalon accroché à un clou et, tout en l'enfilant, il songea qu'il était hautement improbable que le navire fût immobilisé en plein océan par Dieu sait quelle avarie, qu'il fût encalminé pareil à un voilier sur une mer équatoriale sans que lui, Maître chauffeur, en eût été averti. Il tendit la main vers la poignée en marchant en direction de la porte. Radko, d'instinct, inclinait son corps pour l'ajuster au tangage quand il s'aperçut que le bâtiment n'oscillait pas. Il s'en étonna fort: ces cargos de faible tonnage ont, même dans la respiration lente des eaux les plus dociles, un mouvement de va-et-vient qui peut toujours être perçu. Rien. Celui-ci demeurait stationnaire, sans la plus petite inclinaison. Il était aussi constant qu'un navire à quai.

Ce qu'il vit en ouvrant la porte le frappa de stupeur. Hallucination? Chimère démente? Reflet? L'image extraordinaire le médusa. Elle avait quelque chose d'excessif mais rien de terrifiant. Fabuleuse, elle l'invitait. Il eut envie de s'y enfoncer.

Imaginez: des dunes sans fin, couleur de cuivre, traversées par une avenue, un boulevard couvert de grains de blé et bordé de centaines de mobiles en cristal retenu par on ne sait quoi. Ils oscillent dans la brise, leur musique est terrible, assourdissante, pareille à des millions et des millions de verres cassés. Au bout, droit devant, une pyramide faite de cubes superposés de toutes les façons imaginables, certains placés correctement, d'autres de guingois, et cet ensemble à la fois parfait et de travers se maintient dans un équilibre sans faille, absolument étonnant. Les cubes sont blancs, lumineux, mais on ne sait si leur lumière vient du dedans ou du dehors. D'où il se trouve, Radko ne peut deviner s'ils sont de verre, de marbre, ou d'une quelconque matière plastique. Transparents? Translucides? Opaques? Il ne sait. Radko ne sait rien. Il sait seulement qu'il est attiré vers eux, que quelque chose l'y pousse ou l'y entraîne. Qu'il ira. Qu'il s'y rend déjà. Somnambulique machine obéissante, il répond à une invitation silencieusement formulée.

Le chemin est spongieux. Radko a du mou jusqu'à la cheville comme s'il marchait dans une épaisse couche de copeaux de bois. Mais il se sent léger, presque euphorique, il progresse sans effort apparent dans le grain doré qui bouge à son contact telles des vagues émettant un bruissement de sel. Ce son, ajouté à celui des cristaux suspendus, atteint par moments une intensité de cataracte, mais l'obsédante cacophonie, plutôt que de plonger Radko dans un compréhensible état de nervosité, le soulève, l'allège, lui donne ce sentiment d'immatérialité que procurent certaines drogues douces. Il perd toute notion, et celle du temps et celle de l'espace. Il n'a de but que la pyramide blanche qui s'enfle et s'amplifie au fur et à mesure qu'il s'en approche.

Au bout d'un long moment impossible à mesurer, Radko atteint la base de... comment dire? du monument? oui, mettons. Du monument. Sa paroi est faite d'un matériau inconnu de Radko, et sa luminescence est animée d'une pulsation régulière, systole, diastole, systole, diastole, qui la fait ressembler aux battements d'un cœur au repos. Radko y appuie les deux mains, il les pose bien à plat de chaque côté de sa tête, tandis que son oreille gauche vient se placer contre la surface. De l'intérieur lui parvient alors un bruit continu et sourd, assez semblable à celui que produiraient des voix nombreuses, discourant ensemble par une journée de vent.

Copiant le lézard qui se colle aux fenêtres les soirs d'été dans les pays très chauds, il rampe de côté, tâtant et palpant, et cherche sans la trouver l'ouverture ou la faille qui donnerait accès à l'intérieur. Trois fois ainsi, il contourne la structure sans pouvoir y pénétrer, et lorsque, revenu à son point de départ, il lève son regard pour caresser la partie supérieure de l'étonnant échafaudage, il perçoit dans le grain de la paroi un frémissement, comme d'une peau parcourue par la fièvre: voilà que ce qui paraissait solide soudain se dilue dans l'air par degrés, de haut en bas, jusque là où il se trouve. Les mains de Radko ne rencontrent plus de résistance. Mais comment savoir? Comment dire des deux matières, l'humaine ou la minérale, laquelle se perd dans l'autre? Se fond-il dans la pyramide, ou la pyramide s'engage-t-elle en lui?

De l'autre côté, Radko trouve un amas chaotique de cristaux bleus et verts que réunissent entre eux des escaliers tordus et des passerelles où se promène une enfant brune aux yeux de bête effarée. Elle a piqué dans ses cheveux des fleurs rouges en épis, et des larmes-de-Job pendent à ses oreilles. Ses bras sont des couleuvres, vraiment; ils ondulent en troublant le drapé de sa robe, aube arachnéenne, ample, retenue aux épaules par des pipistrelles endormies.

Radko tremble. Non de peur. Non de froid. Mais il tremble. Imagine-t-il les bêtes qui, s'éveillant, entrouvriraient leurs mandibules et déploieraient leurs ailes? Le tissu libéré coulerait vers le sol.

Or, l'enfant vaporeuse a dû anesthésier ses vivantes agrafes: elles restent, léthargiques, suspendues à la soie, pareilles à des cocons.

Est-ce lui qu'elle regarde maintenant? Car, après tout, qui d'autre verrait-elle? Il n'y a rien ni personne en ce lieu hormis lui et l'enfant, et des milliers d'oiseaux hybrides, minuscules, paradisiers croisés de colibris qui vibrionnent sans se poser jamais en gonflant l'air d'un ronron continu.

Ce coup d'œil attentif, Radko le reçoit en plein cœur. Douce agression qui lui triture la poitrine et pousse dans ses veines des fleuves de sang neuf. «Viens», semble-t-elle dire. Mais dès qu'il fait un pas vers elle, elle secoue ses cheveux et s'enfuit, légère, sautant d'une marche à l'autre et glissant sur les ponts étroits, puis elle se faufile parmi des piliers tout parsemés de mousses entre gris et vert, érigés sans logique et sans économie par un fol architecte, et soutenant à d'inégales hauteurs non pas des voûtes mais des ciels de lits. Il la poursuit, mais peu au fait de cette charpente et de ses labyrinthes extravagants, il trébuche ou se perd ou s'empêtre dans les mousselines, il s'essouffle dans les escaliers et sur les passerelles, si bien que par moments, dans sa fuite en rond, l'enfant le rejoint presque, et l'on ne saurait très bien dire lequel des deux, en vérité, échappe à l'autre. Cela n'a de durée que celle qui convient au jeu: l'enfant brune capitule, évoquant la noctuelle vaincue dont les ailes s'agitent un tout petit peu encore, et puis, s'immobilisent.

* * *

Lèvres du rouge des graines de sumac. Elle les entrouvre sur des dents fines qui peut-être contiennent une goutte de poison. Un téméraire — et Radko est téméraire — s'inquiéterait peu qu'elle tire parti d'un tel avantage, car rien n'en prouve l'existence. L'éclat seul de cette denture conduit qui s'y trouve confronté à l'imaginer mortelle.

— Qui donc es-tu?

La voix de Radko, quoique retenue, remplit exactement les antres et les replis de l'édifice, mais l'enfant brune se tait. Se peut-il qu'elle n'ait rien entendu? Son regard vif montre pourtant qu'elle a saisi ces quelques mots qu'elle laisse couler à travers elle sans les retenir. Alors, Radko répète: «Qui?» et un écho soudain, neuf, s'empare de l'unique syllabe, la prolonge et la multiplie, lui transmettant un poids bien moins funèbre que sacré.

Et elle?

Elle replie ses deux bras, couvrant avec ses mains une poitrine menue que la passion soulève. Qu'il se dégage de son geste un air d'innocence à peine perverse n'a pas de quoi surprendre: l'enfant n'a pas quinze ans et sa science trop neuve l'intimide encore. Elle ressemble, ni tout à fait modeste ni vraiment affranchie, aux dames thébaines des tombes de Nakht et de Menna, impression que renforcent les oiseaux en grand nombre dont elle s'entoure et qu'elle commande: les voici qui se posent à ses pieds dans un amas mœlleux où, les uns sur les autres et maintenant muets, ils lui font un tapis.

Miracle ou préméditation, peu importe: les pipistrelles, s'éveillant, la dénudent. Radko voit sa chair patinée où elle tient prisonniers tous les plaisirs du monde. Son regard s'y appuie, s'y greffe, retenu au bronze de la fine musculature par une réminiscence vague, ancienne, le souvenir presque oublié de ses propres mythologies: initiations secrètes, travaux cachés, et les codes de troublantes chimies.

Dans cet état confus qu'il découvre autant qu'il le reconnaît, lui s'approche d'elle; non pas elle de lui.

Quatre-vingt-dix-neuf pas le séparent de l'enfant. À chacun d'eux, il prononce l'un des noms de l'amour. Car, il le sait, elle est le début à la fois et la fin, l'origine et l'aboutissement, sans doute même aussi la vérité et le mensonge réunis en une seule apparence à laquelle il se rend. Du moins le croit-il: point fixe à quoi Radko s'accroche, l'enfant n'a de réalité que celle qu'il lui invente.

Devant celle qui demeure immobile en le regardant, il est libre et en même temps traqué. Tous ses sens et son âme il les sait détruits et simultanément sauvés, agrandis, peut-être aussi transposés dans un autre état où il lui sera enfin permis, qui sait, d'accéder à quelque chose de divin. Il verra alors ce qu'aucun homme avant lui n'a vu, ce qu'aucun ne verra après. Il se dira: «Je ne suis plus moi mais un autre, et plus grand, et plus petit. J'enferme tous les mondes et je suis les mondes que j'enferme.»

L'ombre bleue des paupières que l'enfant baisse maintenant, tendant vers lui ses mains, paumes ouvertes dans un geste d'offrande, Radko la reçoit comme un signe. Il ne connaît dans l'instant que cette ombre bleue vers laquelle il s'avance au milieu des oiseaux, sous les ciels de lits, parmi les colonnades dressées telles les tours de cités mortes. Il marche vers l'enfant, enchanté par ses propres sortilèges. Et le bleu des paupières s'étend, s'écoule; répandu autour de l'enfant, il lui fait une gloire en forme d'amande, bleue, si bleue, d'un bleu quasi insoutenable comme à midi passé.

Lui viendra-t-il un sanglot si enfin il la touche? Ou bien une précoce envie de mourir?

L'enfant est au bout de sa vie: quatre-vingt-dix-neuf pas le séparent d'elle.

* * *

Ce qui se passa ensuite, par quels mots le décrire sans le réduire à ces moroses pas de deux des mauvaises littératures? Suffirait-il de rapporter la douceur des colibris complices, masse moussue supportant et cernant Radko et l'enfant brune? Mains et lèvres par moments ne savaient plus distinguer des pulsations leur origine, et il se peut que lui, elle, ou les deux aient parfois caressé des oiseaux.

Comment savoir si l'enfant crut naître? Comment savoir? Elle n'eut pour Radko aucune parole qui pût le renseigner sur cette métamorphose. Elle n'eut pas davantage de soupir ou de rire. Mais passive? Non... Elle l'enserra dans ses cuisses lisses comme un cou de tourterelle. Sa bouche mûrit chaque seconde un peu plus à force de baisers tôt appris, aussitôt affinés. Et quand il se fut perdu en elle, elle l'y maintint par une sollicitation répétée de ses paumes. Par d'imperceptibles signes dont elle devina d'instinct le code, elle le dressa sans qu'il s'en aperçût à rencontrer tous ses désirs. Alors, elle parut dangereusement suspendue entre vie et mort: c'est là le propre du bonheur — et peut-être mit-elle tant de discrétion à tressaillir (car elle tressaillit) par peur de se *briser*?...

Radko abandonna son souffle sur l'épaule de l'enfant en longues exhalaisons, étoiles filantes, légères, qui la frôlèrent ainsi que des caresses d'elfe. Il se sentit lié à elle plus étroitement que la figure à la proue d'un navire.

Mais l'enfant aussitôt devenait moins réelle, et lui, fané, triste, considéra soudain le sentiment d'abandon qui n'allait pas tarder à s'emparer de lui. Car, déjà, tout changeait: quelque chose chassait les oiseaux; il n'y avait plus de ciels de lits; les escaliers, les passerelles, les tours, tout ressemblait maintenant à une copie trop pâle, artificielle, une toile dont on eût lavé les couleurs, un décor sans vigueur, mal brossé, pitoyable dès qu'on le sort de l'ombre.

Radko éprouvait l'envers d'une naissance. Il eut conscience — trop tôt, beaucoup trop tôt — de son propre corps: c'est là le propre du leurre. Il toussota et se racla la gorge. En quête d'air, il inspira profondément et se remit sur le dos.

Il songea que l'amour n'avait pas quatre-vingt-dix-neuf noms, mais cent.

Il songea qu'il en ignorait encore le centième. Et que, l'ignorant, il demeurait sans pouvoir, sans science, sans latitude.

Il songea que tant qu'il ignorerait le centième nom de l'amour, il ignorerait l'amour.

Il soupira devant l'évidence qui marquait son retour vers un temps infini et mal définissable. Il y entra, résigné, couche après infime couche, par une singulière échancrure ouverte dans le noir mobile de son cerveau. La forme légère de l'enfant, les oiseaux, la pyramide, le lieu de réunion redevenait un lieu de division, chacune de ses parcelles était bue comme par une éponge, avalée à grands traits.

Radko ne faisait aucun effort pour retenir l'image, pour demeurer dedans. Il se laissa plutôt distraire par la chaleur suffocante qui transformait en étuve cette invention diabolique où il était juché, cette couchette supérieure décidément trop courte et trop étroite, si voisine du plafond qu'en s'asseyant il le touchait toujours avec sa tête. Il écouta un moment le ronron des machines, puis il tâta la paroi en quête de la trépidation à peine sensible qui l'agitait sauf à l'arrêt du navire. Il compta ensuite les secondes qui séparaient chacun des ronflements de Miloš, dans la couchette au-dessous de la sienne. Il ramena enfin le drap moite sur ses épaules. Et il se tourna du côté du mur.

3

L'ENVOLEUR DE CHEVAUX

À Jean-Fred Bourquin

— Une ville très pâle au milieu du désert?

— Oui. Toits plats. Murs et sols blancs. Roses, plutôt. Albâtre où la lumière joue.

— C'est Bagdad? Bassora? Samarkand? Toutes trois réunies?

— Ce n'est aucune d'elles. Une ville comme jamais ne fut aucune ville, comme jamais aucune ville ne sera.

— On prétend qu'y périrent par le sabre presque tous les marchands d'or des fous...

— On assure tant de choses...

— Et que ce jour, la foule se répandit sur la grand-place, coulant des venelles comme l'eau des torrents dans les pays plus verts.

— La foule, oui. Elle vint s'amasser autour des fontaines épuisées et des dattiers stériles.

— Aussi face aux terrasses en escalier.

— Aussi.

— N'avait-on pas coutume d'y exhiber — pour

la leçon — les orpailleurs condamnés à rendre leur tête au roi?

— On le dit. Et que celui qu'on produisait pour cette foule rassemblée, fort grand et de belle carrure, ne tressaillit pas sous l'injure et le crachat.

— Ni même lorsqu'on érigea autour de lui le treillis d'une cage.

— Une cage?

— Une cage. Moins pour compliquer sa fuite que pour le garantir, lui, des affres du dehors.

— C'est terrible, tout ce qu'on raconte...

— Il paraîtrait même que la foule hurlante...

— Mais non. Passé ses premiers mouvements, la foule demeurait coite et demeurait digne.

— Et lui? lui?

— Il manifestait l'impassibilité des innocents qui se sont résignés à mourir pour rien. Nous l'avons déjà dit.

— C'est vrai...

— ...déjà dit...

— ...nous l'avons déjà dit...

— Mais nous n'avons pas encore raconté que l'orpailleur, ayant remarqué parmi les centaines de regards...

— Oui, les choses en seraient restées là si l'orpailleur captif n'avait remarqué parmi les yeux posés sur lui un regard plus ouvert que les autres.

— La femme qui le portait ne parut-elle lui parler en silence?

— C'est bien ce que rapporte la chronique.

— Et ses mots? Quels furent donc les mots de ses yeux?

— À l'homme encagé, elle demanda: «C'est là tout ce que tu as à dire? Je n'en peux plus? C'est tout? Ne vois-tu pas que nous aussi on meurt?»

— Mais l'orpailleur n'avait pas parlé... Est-ce que l'orpailleur avait parlé?

— Il n'avait pas parlé.

— Prodigieuse clarté des signes.

— Muette sommation.

— Semonce voilée.

— Le marchand d'or des fous la reçut en plein cœur.

— Alors il fit une chose que, de mémoire d'homme, on n'avait encore jamais vue.

— Jamais. Non, jamais.

— Une chose si étonnante qu'on la raconte maintenant dans toutes les cours...

— ...les fêtes...

— ...les banquets...

— Oui, il fit cette chose que l'on raconte partout: il se mit à ronger les barreaux de sa cage.

— Méthodiquement.

— Avec ses dents.

— Devant la foule ébahie et silencieuse, il rongeait, il rongeait...

— Devant la femme muette et souriante, il rongeait...

— Il rongeait les barreaux en bois de sa cage et la sciure s'amoncelait en petits tas à ses pieds.

— Il rongeait scientifiquement.

— Comme on émonde un arbre qui se sent à l'étroit dans ses branches.

— Il rongeait, rongeait tant et si bien que, de la cage, il ne resta bientôt que cette poussière et ces copeaux, des débris de dommage, des rognures de cicatrice...

— Ce résidu...

— Ces miettes...

— La femme en s'approchant en remplit un sachet qu'elle suspendit au cou de l'orpailleur.

— Afin qu'il n'oublie pas, c'est ce qu'elle lui dit. Qu'il n'oublie jamais. Ni sa détention à lui.

— Ni sa détention à elle.

— Ni celle de cette ville blanche, sèche, sans jardin.

— Il n'oublierait pas. Comment oublierait-il?

— Et puis? dites... et puis?

— Au récit qu'on lui fit de ces choses, le roi vint trouver le marchand d'or des fous. Balayant la grand-place de ses manteaux bariolés, haletant, soufflant, le roi suivait sa garde occupée à repousser la foule à grands coups de fléau.

— Le manteau du roi balayait le sol rose d'albâtre de la ville.

— Cette ville qui était comme jamais ne fut aucune ville...

— ...qui était comme jamais aucune ville ne sera...

— ...cette ville qui n'était ni Bagdad ni Bassora...

— ...ni Samarkand...

— ...ni les trois réunies (mais peut-on l'assurer?)...

— Et le marchand d'or des fous...

— ...et la femme qui maintenant se tenait aux côtés du marchand d'or des fous...

— ...et la foule devant la femme et le marchand d'or des fous...

— ...tous regardaient le roi balayer le sol rose de son manteau dans cette ville qui n'était ni Bagdad ni Bassora ni Samarkand ni les trois réunies...

— ...mais peut-être les trois réunies, on ne sait au juste...

— ...tous regardaient le roi qui s'arrêta devant les terrasses en escalier où s'amoncelaient des petits tas de sciure, des copeaux de cage.

— Et le roi dit au marchand d'or des fous: «Marchand d'or des fous, tu...»

— Je ne suis pas un marchand d'or des fous, dit le marchand d'or des fous.

— Si.

— Non.

— Si, insista le roi, puisque je t'ai fait arrêter et que dans cette ville on n'arrête que les marchands d'or des fous.

— Même les rois se trompent, dit le marchand d'or des fous. Je suis un envoleur de chevaux.

— Oh!

— Ah!

— Oh!

— Le murmure parcourait la foule et sortait d'elle en remous.

— Oh!

— Ah!

— Déjà, le marchand d'or des fous passait à l'histoire.

— Avec tous les rois, les princes, les héros populaires et les innocents condamnés au gibet.

— Oh!

— Déjà, sans avoir rien fait, l'envoleur de chevaux entrait dans la légende, avec Bagdad, Bassora, Samarkand...

— ...ou les trois réunies, sait-on jamais?

— Et ensuite? ensuite?

— L'envoleur de chevaux dit au roi: «Roi, ta ville est stérile, tes fontaines sont taries, tes arbres ne donnent plus ni feuilles ni fleurs ni fruits. Ton peuple n'a que mort en tête. Ton pays est friable et pétrifié. Comme l'os.»

— Il a dit ça?

— Il a dit ça. Et ceci: «Roi, les crânes blanchis des marchands d'or des fous décapités ornent les portes et tapissent les murailles de ta ville morte, qui est comme jamais ne fut aucune ville, comme jamais aucune ville ne sera. À moins, bien sûr, que je n'y mette bon ordre.»

— Et c'est par les chevaux qu'il y mettrait bon ordre?

— Attends, attends...

— Le roi n'était pas convaincu. Il répondait: «Regarde, regarde comme tout ici est rose. Translucide. Vivant.»

— Vivant? rétorqua l'envoleur de chevaux.

C'est de l'agitation. Du bruit. De la couleur. Du vide déguisé en jour de marché.

— Il est dit qu'alors le roi baissa la tête.

— Oui, il baissa la tête. Il regarda le sol rose d'albâtre, la grand-place desséchée de sa ville sans jardin. Et il se mit à pleurer.

— Oh!

— Ah!

— Le roi pleura tant et tant que ses larmes formèrent une mare à ses pieds...

— ...et la mare, des rigoles...

— ...et, des rigoles, sortirent des chevaux tout petits, aussi petits que chacune des larmes du roi.

— Et ils traînaient derrière eux de longues crinières d'argent.

— Et les rigoles des larmes du roi devinrent des ruisseaux, puis des rivières, des torrents, des fleuves!

— Les tout petits chevaux devinrent de grands chevaux, puis de très grands chevaux, puis de très très grands chevaux!

— Et partout sur la place rose d'albâtre de cette ville qui était comme jamais ne fut aucune ville, comme jamais aucune ville ne sera, les très grands chevaux des larmes du roi galopaient en tous sens parmi les cris de la foule.

— L'envoleur de chevaux, debout sur la terrasse en escalier, que faisait-il?

— Oui, que disait-il? Que disait donc l'envoleur de chevaux?

— On raconte que l'envoleur de chevaux clamait: «Voici, roi, tes rêves enfouis et les rêves de ton peuple. Ils courent sur la grand-place de cette ville qui n'est ni Bagdad ni Bassora ni Samarkand, mais peut-être les trois réunies. Ils courent. Ils galopent.»

— Ils galopent! (C'était la foule qui maintenant criait ceci.)

— Il y avait tant et tant de chevaux noirs à la crinière d'argent! La grand-place croulait sous le poids des rêves du roi!

— Qu'allait donc devenir la ville très pâle au milieu du désert sous les sabots de tous ces chevaux galopant?

— Oh! qu'allait-elle devenir?

— La légende prétend que l'envoleur de chevaux, levant ses deux bras, s'écria: «Chevaux! Volez!»

— Et les chevaux volèrent!

— Ils volèrent!

— Ils tournoyèrent au-dessus de la grand-place de la ville rose d'albâtre qui était belle, tout à coup, lumineuse, comme Bagdad, Bassora et Samarkand réunies!

— Oh!

— Ah!

— Oh!

— Le remous entrait dans la foule et en ressortait en murmure ébahi.

— Alors, l'envoleur de chevaux fit se poser les rêves sur la grand-place de la ville sans jardin.

— Et le roi enfourcha le plus grand des grands chevaux.

— Et la foule aussi. Chacun se choisit un rêve noir à la crinière d'argent.

— L'envoleur de chevaux prit avec lui la femme en croupe.

— Et l'envoleur de chevaux leva ses bras et s'écria: «Chevaux! Volez!»

— Et les chevaux volèrent!

— Oui. Les chevaux, et le roi, et le peuple, et la femme, et l'envoleur de chevaux. Tous partirent vers une destination inconnue.

— On ne les revit plus de ce côté du monde.

— On ne les revit plus.

— On crut entendre des noms au passage des chevaux...

— ...des noms de villes comme jamais ne fut aucune ville, comme jamais aucune ville ne sera.

— Bagdad.

— Samarkand.

— Bassora.

— Toutes trois réunies.

— On chuchota aussi autre chose: on parlait de jardins.

— De jardins?

— Oui. De jardins.

— Oh!

— Ah!

— On parlait de jardins...

— De jardins...

* * *

— Il y eut l'inévitable passage du temps.
— L'humaine est race oublieuse.
— Maman? Maman?
— Fils?
— Maman, qu'est-ce que c'est, un jardin?

LE LIVRE DE MAFTEH HALLER

À Marek Halter

Haller et moi n'étions pas ce qu'on a coutume d'appeler des amis. Tout au plus avions-nous dîné une fois ou deux à la même table, chez la comtesse de ***, qui aimait à cette époque s'entourer d'hommes studieux et assez retranchés du monde. Elle venait de se découvrir une passion pour la lecture — passion qui, au reste, s'éteignit rapidement — et, sans délaisser complètement ses moins ingrates distractions (ainsi se plaisait-elle à les appeler), il lui arrivait d'agréer la compagnie discrète de gentilshommes érudits auprès de qui, si elle ne brillait pas par sa culture livresque, elle se donnait l'illusion de pénétrer des mondes de connaissances dont l'accès, jusque-là, lui avait paru interdit. Aussi fus-je fort surpris lorsqu'un soir, alors que je m'apprêtais à reprendre pour mon propre plaisir une bien mauvaise traduction du *Canzoniere* de Pétrarque, Haller fit irruption chez moi dans un état d'agitation pour le moins spectaculaire.

Trempé de pluie et tremblant, il me déclara avoir marché sans but depuis des heures et, arrivé à deux pas de ma maison, il s'était souvenu de nos quelques cordiaux rapports. Ne sachant à qui d'autre confier ce qui le troublait plus qu'il ne savait le dire, et après mainte hésitation, il s'était enfin décidé à venir chercher refuge chez moi. Voyant le piètre état de Haller, je le fis asseoir tout près du feu et lui préparai un grog, le priant de bien vouloir me dire les motifs de son inquiétude.

— Le... le livre... ah... mon Dieu! réussit-il à haleter.

— Mais de quoi parlez-vous, Haller? Allons, allons, remettez-vous et dites-moi calmement ce qui se passe.

Cette opération lui prit quelques minutes au bout desquelles il avait retrouvé assez de contenance pour me raconter l'histoire la plus extraordinaire qu'il m'ait été donné d'entendre. Je la consigne ici, car elle vaut qu'on la note, mais surtout parce que je ne sais quand elle se terminera ni même si elle aura une fin, et que tout me porte à croire que bientôt, oui, bientôt hélas, il me faudra à mon tour... mais oh! il n'y a pas de temps à perdre en considérations de cet ordre... Voici plutôt le récit que me fit Mafteh Haller:

— Sir Thomas, vous savez... je suis un méchant libraire, plutôt sauvage mais sans une once de cruauté. J'ai toujours fui le monde, que je méprise assez, et s'il m'arrive de temps à autre de fréquenter les cercles mondains — mes rares visites chez la comtesse de ***, par exemple, où j'ai eu le plaisir de vous rencontrer — c'est presque par inadvertance. Je n'ai pas d'amis, que des clients au demeurant de la même race que moi, avec lesquels je n'échange pour ainsi dire jamais, sinon sur l'objet de leur visite: l'acquisition d'éditions rares que je mets tout en œuvre pour leur procurer quand ils ne les dénichent pas sur les étagères de ma boutique où j'ai accumulé au fil des ans d'inappréciables trésors. Mais si je n'ai pas d'amis, je ne me sais pas davantage d'ennemis, et je n'ai pas mémoire d'avoir commis une injustice si terrible qu'elle me vaudrait cette... cette... condamnation...

Il proféra ces derniers mots dans un souffle, sur le point de se laisser gagner par la même agitation qui l'avait conduit ici. Je dus le ramener au calme afin qu'il soit en mesure de poursuivre.

— Il y a quelque temps — trois ans presque jour pour jour, si je tiens à la précision — je recevais par la poste un volumineux paquet. Il provenait d'un marchand des Pays-Bas avec lequel il m'arrive assez souvent de traiter, et contenait, dans une édition presque introuvable de l'Imprimerie Impériale, datée de 1805, la traduction française d'un texte arabe, *La colombe messagère plus rapide que l'éclair, plus prompte que la nue*, dans une magnifique présentation bilingue, ainsi qu'une très rare édition princeps, en deux volumes, des textes poétiques de Sa'di, comprenant entre autres le *Diwân*, le *Bostân*, le *Gulistân* (ce dernier titre ayant toutefois fait l'objet d'une édition antérieure par Gentius en 1651), publiée à Calcutta de 1791 à 1795. Mais ces détails ne sont guère utiles à mon histoire... veuillez excuser le vieux bibliophile que je suis de vous assommer avec ces explications...

— Non, non, je vous en prie, continuez. Je suis moi-même une sorte de rat de bibliothèque...

— J'étais donc très heureux d'avoir enfin en main ces livres que j'attendais depuis de longs mois sans savoir s'ils n'avaient pas déjà été acquis par un autre. Mais comme je les déballais, je vis, dessous, un autre paquet. Ne me rappelant pas avoir demandé à ce marchand d'autres textes que ceux dont je viens de faire la description, ce n'est pas sans une vive curiosité que je débarrassai le colis de son emballage. J'y trouvai un ouvrage relié en cuir, visiblement oriental, plutôt usé mais sans autre dommage. Le voici.

Il tira de sa veste un assez petit livre, d'une très belle reliure noire rehaussée de feuille d'or, munie d'un ingénieux fermail: deux anneaux montés sur l'un des rabats s'inséraient dans des ouvertures pratiquées dans le rebord de l'autre couverture. Une languette de laiton y était glissée; elle représentait le corps d'un lion dont la queue, ramenée par-dessus les anneaux, pénétrait dans la gueule de la bête, cadenassant ainsi le livre.

— Il n'y avait pas de clé. Ne voulant pas forcer cette serrure, je n'avais d'autre choix que de renvoyer le livre à mon collègue néerlandais. «Demain», me dis-je. Mais les jours, les semaines passèrent sans que j'en fasse rien. Le livre restait là, dans mon arrière-boutique. De temps à autre je le prenais dans mes mains, caressais son cuir, cherchais à en deviner le contenu qui se dérobait à ma curiosité. Ces exercices se firent de plus en plus fréquents, de sorte que bientôt le livre ne me quitta plus. Je l'emportais partout avec moi, incapable de m'en séparer. Je décidai alors de me rendre chez un serrurier qui, sans me promettre de réussir, tenta de fabriquer une clé qui ferait l'affaire. La chance me sourit. Quelques jours plus tard, muni de cette clé que voici, je pus enfin connaître le secret de l'ouvrage. Venez. Approchez-vous.

Il ouvrit le livre. C'était un manuscrit dont il souligna la calligraphie de belle venue et dont la page frontispice contenait aussi le colophon, contrairement aux coutumes qui, m'apprit-il, veulent qu'on le place à la fin. Le papier n'était pas d'une extrême finesse, mais au toucher l'on sentait qu'il avait été traité à l'œuf et au talc, et poli avec une agate de brunisseur.

— Sir Thomas, poursuivit Haller, j'avais alors acquis par la force des choses juste ce qu'il faut de connaissances pour déchiffrer les titres des textes orientaux qui passent entre mes mains, mais pas assez pour lire l'entier de ce manuscrit persan — car il s'agit bien d'un manuscrit persan, et fort ancien, ainsi que vous le verrez.

کتاب علوم سیاه و اسرار

در ماه رجب سنهٔ ۹۶۲ در عهد شاه طهماسب اول، که خداوند روحش بیامرزاد،

وحی شد و به همت برهان الدین محمود الوحید سمرقندی کاتب در کاشان به رشتهٔ تحریر درآمد

Il suivit du doigt les caractères de la page frontispice, tout en traduisant au fur et à mesure:

Le Livre des Sciences Noires
et des Secrets
tel que reçu et transcrit par le scribe
Borhân eddîn Mahmud al-Wahid Samarqandi
à Kâshân
dans le mois de Rajab 962
sous le règne de Shâh Tahmasp I
Allah l'ait en Sa garde

— Ce n'est qu'un chef-d'œuvre mineur de l'art livresque persan, poursuivit-il. Vous voyez, il ne contient aucune miniature; tout au plus cet assez quelconque *unwân* en bleu, rouge et or. Mais les têtes de chapitres ont été écrites en rouge et les marges, très délicates, ont été tracées à la feuille d'or. Quant à la calligraphie, il faut bien l'avouer, elle approche de la perfection. Je suis étonné aussi de l'état de conservation de ce livre: un ou deux trous d'insectes, quelques taches ici et là, pas de moisissure. Je connais des ouvrages *imprimés*, sir Thomas, des livres beaucoup plus jeunes qui ont moins bien souffert le temps...

«Quoi qu'il en soit, je voulus d'abord écrire au marchand qui m'avait expédié le manuscrit, le priant de me donner le nom et l'adresse de l'acquéreur afin que je le lui fasse parvenir moi-même. Je ne le fis pas. En réalité, je ne tenais pas du tout à me séparer de cet ouvrage qui m'était devenu cher à l'extrême. Aussi, j'offris au marchand de payer le double du prix auquel il voulait le vendre (c'était là fort téméraire de ma part, puisque j'ignorais ce prix et devinais que le manuscrit devait être très coûteux, ne serait-ce qu'en raison de son âge. Mais sans doute avais-je déjà vendu mon âme au diable...) pour le privilège de conserver ce texte qui m'était parvenu par erreur. Je lui demandai aussi qu'on me fournisse tous les renseignements dont on disposait sur ce manuscrit et, pour lui faciliter la tâche, je recopiai à son intention la page frontispice que vous voyez là.

«Au bout de quelque temps, je reçus une lettre du marchand des Pays-Bas, par laquelle il me disait que le manuscrit ne provenait pas de chez lui, qu'il s'agissait sûrement d'une erreur et que, du reste, les recherches n'avaient rien mis à jour: ce manuscrit ne figurait dans aucun des catalogues disponibles; le nom du scribe était inconnu des spécialistes; aucune collection publique ou privée ne faisait mention d'un tel ouvrage. On offrait, bien entendu, de me l'acheter, et on y mettait le prix. Mais il n'était absolument pas question pour moi de le vendre. Je me trouvais en possession d'une œuvre inestimable parce que, sans doute, seule de son espèce. Elle m'était parvenue par des chemins pour le moins obscurs et, par la fascination qu'elle exerçait sur moi, elle m'imposait de la conserver. En somme, officiellement, *Le Livre des Sciences Noires et des Secrets* n'existait pas. Pourtant il est là, dans mes mains. Vous le voyez. Vous le touchez aussi. Et j'en suis le seul propriétaire... le seul... pour le moment... Ah! c'est terrible...»

— Terrible? Mais pourquoi donc? Je croirais plutôt que c'est là une chance inouïe pour un bibliophile!

— Écoutez, sir Thomas, écoutez. Laissez-moi poursuivre. Et priez pour que la force ne me manque pas pour vous dire la suite.

— Bon, bon. Je vous écoute.

— Dans les mois qui suivirent, je m'appliquai à étudier la langue persane. J'y consacrai tout mon temps. C'est une langue, ma foi, d'une grammaire assez simple, mais complexe en raison de ses subtilités. Vous comprenez, il me fallait à tout prix connaître le contenu de cet ouvrage: je m'y sentais poussé par une force inexplicable. Je ne dormais plus, je mangeais à peine; tout mon esprit était prisonnier du livre dont le secret m'obsédait. On aurait dit, sir Thomas, que le livre lui-même m'ordonnait de faire en sorte que je puisse le débrouiller au plus vite. Chaque fois qu'il m'arrivait de poser mon regard sur ses feuillets calligraphiés, j'éprouvais un sentiment d'urgence qui s'amplifiait de jour en jour. J'en vins à fermer boutique afin de consacrer toutes mes énergies à l'étude.

«Au bout de longs mois, je pus, quoique laborieusement, commencer à le déchiffrer. Mot par mot, phrase par phrase, retournant constamment à mes dictionnaires et mes manuels. Le début consistait en formules de toutes sortes, plus ou moins médicales, visant à soulager ou à guérir le mal de dents, les panaris, les orgelets. Puis il y avait des diètes mêlées de conjurations pour atténuer les crises de haut mal. Et peu à peu, le livre passait des potions de bonne femme à des formules moins orthodoxes, très obscures, que j'eus une grande difficulté à saisir. Mais je m'y appliquai avec une énergie qui tenait de la rage. Je fis là d'étonnantes découvertes: une recette d'onguent qui permet d'éprouver le feu sans en être brûlé; un baume qui doit garantir de la peste; une eau miraculeuse qui guérit la fièvre maligne et la goutte; la manière de fabriquer des perles fausses qui imitent à la perfection les perles d'Orient; celle de faire un sirop de longue vie; comment ramollir l'ivoire ou briser le fer; comment fabriquer un anneau qui rend invisible celui qui le porte ou un talisman qui rend inexpugnable la forteresse dans les fondements de laquelle on l'aura enterré; bref, mille et une recettes toutes plus surprenantes les unes que les autres qui auraient de quoi fasciner les êtres curieux des secrets de la nature.»

— Intéressant, mais, somme toute, assez banal. Albert le Grand, et avant lui, nombre d'auteurs arabes, de cabalistes et que sais-je, ont réuni de tels grimoires...

— Sans doute, sir Thomas, sans doute. Mais ce n'est pas tout. Ces formules, ces recettes banales, comme vous dites, ne constituent que la première moitié de l'ouvrage que vous voyez là. La deuxième partie est d'une tout autre nature. Elle me semble même rédigée par une main différente. Il y a des variantes notables dans la calligraphie, suffisantes, en tout cas, pour que je puisse vous assurer sans crainte de me tromper que la reliure de l'ouvrage renferme deux textes distincts, probablement rédigés à des époques différentes par deux scribes ou copistes, entendez-le comme vous voudrez. Il m'apparaît que la reliure date de l'époque où aura été retranscrit le premier de ces textes, qu'elle est donc relativement récente. La seconde moitié du manuscrit est nettement plus ancienne. Au reste, touchez: il y a un léger contraste entre ce papier-ci, voyez, et celui-là, de toute évidence plus ancien.

Je ne pouvais que me rendre à son idée. Haller me faisait remarquer, muni de son nouveau savoir, les variations dans la calligraphie des deux textes. Quant aux feuillets, au toucher ils livraient clairement leurs dissemblances.

— Mais le colophon? fis-je.

— Il se rapporte au premier texte, cela me semble indiscutable. Il est de la même main. Par conséquent, il ne me renseigne nullement sur l'origine du plus ancien des ouvrages, bien que le titre puisse convenir à l'un comme à l'autre. Mais cette coïncidence est-elle délibérée? Ça, je ne suis pas en mesure de vous le dire.

Haller replaça le petit livre dans la poche de sa veste. Il gardait maintenant le silence en fixant le feu. Sa respiration devenait plus laborieuse. Soudain, il éclata en sanglots et cacha son visage dans ses mains.

— Qu'y a-t-il, Haller? Allez-vous enfin me dire ce qui vous met dans cet état?

— Pardonnez-moi...

Il tressaillit, comme quelqu'un qui sort d'un rêve, et sembla rappeler ses idées. Il se mit à marcher de long en large, mains calées l'une dans l'autre dans son dos.

— J'ai scruté ce deuxième texte, sir Thomas, avec une passion qui, je vous le jure, ne venait pas de moi mais du livre. C'est lui, vous dis-je, qui m'a poussé de page en page, de jour, de nuit, sans arrêt. Je n'étais plus, je ne suis plus maître de mes actes. Tout ce que je fais m'est dicté. Même ma venue ici, vous verrez, vous verrez, n'est pas le fruit du hasard. J'ai été poussé ici. Conduit. Par une autre volonté que la mienne. Ce livre est vivant, sir Thomas. *Vivant.* Il a une âme. Sans doute même plusieurs...

«Il se termine par quelques feuillets vierges. Juste avant, j'ai découvert des noms. Toute une liste. Des noms persans ou arabes, puis des noms occidentaux transcrits en caractères persans. Étonnant, vous ne trouvez pas? Étonnant... Mais plus tellement étonnant pour moi, maintenant.

«Lorsque j'eus achevé mon déchiffrage, je rangeai l'ouvrage. Mais ma tranquillité fut de courte durée. Une voix intérieure m'ordonna presque de le reprendre. Je dus lui obéir. Et voilà que je l'ouvrais à la page où était minutieusement décrite la façon de fabriquer et polir un miroir de mercure fixe avec du sel ammoniac, du vert-de-gris, du vitriol, de l'eau de forge et, bien entendu, du mercure. Je ne pus me dérober à cette opération qui me coûta de nombreux efforts et beaucoup de patience, en raison de sa complexité. Il fallait aussi que les conjonctures astrales soient bénéfiques, ce qui m'obligeait à des calculs auxquels je n'étais pas habitué. Mais enfin, lorsqu'il m'arrivait de vouloir renoncer, jugeant ces activités ridicules ou propres aux sorciers — ce que je ne suis nullement — c'était en vain. Le livre, que je croyais avoir rangé, était devant moi sur la table, ouvert, ou bien se trouvait inexplicablement sur mon oreiller, ou encore sur mon fauteuil, sans que je puisse jamais me rappeler l'y avoir déposé. Et je continuais à fabriquer le miroir de mercure. Malgré moi.»

À ce moment, il tira de sa poche un objet enveloppé dans un morceau d'étoffe verte et me le montra.

— Voilà qui est fait, dit-il. Depuis trois jours. Regardez un peu cette merveille.

Le miroir, de forme ronde, était plus petit que je n'avais imaginé. Il pouvait mesurer douze centimètres de diamètre, pas davantage. C'était une plaque mince, parfaitement polie, où venait se refléter le feu de l'âtre en même temps que le visage de Haller qui se penchait un peu dessus.

— Depuis que ce miroir est terminé, quelque chose s'est produit dans le livre, sir Thomas. Je sais que vous ne me croirez pas, mais je vous jure que c'est la vérité: *mon nom est apparu au bas de la liste...*

— Que voulez-vous dire?

— Cela. Précisément. Mon nom, transcrit en caractères persans, est le dernier du livre. Et il n'y était pas auparavant. Il n'y était pas, sir Thomas. *Il n'y était pas*! Savez-vous ce que cela signifie? Le savez-vous? Non, vous ne savez pas, naturellement, vous ne pouvez pas savoir, mais croyez-moi, sir Thomas, croyez-moi quand je vous dis que c'est terrible, épouvantable, croyez-moi quand je vous dis que c'est un signe qui ne ment pas, oh! sir Thomas, si seulement vous pouviez m'aider, mais vous ne le pouvez pas, personne ne peut m'aider, personne, je suis perdu...

Haller paraissait hors de lui. Il suait à grosses

gouttes, il tremblait de tous ses membres. Pour la première fois je remarquai combien il avait maigri depuis la dernière fois où nous nous étions vus. Son teint avait une pâleur de craie. J'avais beau penser que son esprit l'avait abandonné et qu'il était en proie à des imaginations de malade, je ne pouvais demeurer aveugle à la métamorphose qu'il avait subie pendant ces quelques mois. Haller, force m'était de le constater, avait pris l'aspect d'un cadavre ambulant. Je frissonnai.

J'offris de lui verser un cognac, mais il refusa.

— Non. Pas le temps. Pas le temps. Il me faut partir maintenant. Le livre... il reste une dernière chose à faire... après quoi... mais je veux que vous sachiez que si je suis venu ici ce soir... sir Thomas, je n'y suis pour rien... il faut me croire... je n'y suis pour rien... Adieu... Dieu... Que Sa bonté vous garde s'Il ne peut plus rien pour moi...

Il se dirigea à pas fébriles vers la porte en marmonnant, tenant serré entre ses mains le miroir de mercure. Je voulus le retenir:

— Haller! Attendez! Haller! Ne partez pas!

Mais il était déjà parti. La pluie, dehors, continuait de tomber avec force. Je me penchai à la fenêtre pour le rappeler. Je ne vis que sa silhouette un peu courbée qui s'enfonçait dans la nuit. Il était déjà trop loin pour m'entendre.

Cette nuit-là, je ne pus dormir. Le visage angoissé de Haller ne cessait de me tourmenter. Je l'entendais me répéter l'histoire de la veille. Je revoyais les pages couvertes de calligraphie serrée du manuscrit. Il me semblait tenir encore dans mes mains le miroir de mercure. S'il m'arrivait de sommeiller, je me réveillais en sursaut, trempé de sueur, avec en mémoire le regard révulsé de Mafteh Haller. Le petit matin me trouva épuisé et nerveux.

Je tentai de chasser ces visions de mon esprit et de me remettre à ma traduction du Pétrarque, mais je n'arrivais pas à me concentrer. Au bout de quelques heures de temps perdu à contempler le vide plutôt qu'à travailler, je sentis le besoin de passer chez Haller pour lui demander de ses nouvelles. Le beau temps étant revenu, je me dis qu'une promenade me reposerait de ma si mauvaise nuit. Je sortis.

Haller habitait une chambre aménagée dans le grenier d'une maison naguère cossue. Sa logeuse me fit monter jusque chez lui en bougonnant.

— Vous le connaissez depuis longtemps, ce monsieur Haller? dit-elle. Quel homme bizarre. Oh, tranquille, en tout cas, ça, je puis vous l'assurer. C'est à peine s'il quitte sa chambre. Depuis des mois, il reste enfermé là. Je me demande à quoi il peut bien passer son temps. Il n'était pourtant pas comme ça au début. Plutôt cordial, même si un peu froid. Vous voyez ce que je veux dire? Pas homme à vous faire la conversation. Remarquez que je ne m'en plains pas. Les pensionnaires bavards, si vous voulez mon opinion... mais depuis quelque temps, je trouve qu'il exagère. Et figurez-vous que Monsieur ne descend plus dîner avec les autres. Alors, je lui monte son repas, pensez donc, et je le pose là, à côté de la porte. La plupart du temps, il ne touche à rien. Il est malade, peut-être, votre ami? Parce que s'il est malade, il faudra le faire soigner. Ah, c'est une bien bonne chose que vous soyez venu... Vous pourrez lui dire ça de ma part, ce que je viens de vous dire, qu'il faudra qu'il se fasse soigner s'il est...

— Haller, vous êtes là?

Je frappais. J'appelais.

— Haller! Ouvrez!

Il ne répondait pas. Je collai mon oreille à la porte. Pas un son.

— Manquerait plus que ça, dit la logeuse. Je vous disais bien qu'il est malade. Ah, si c'est pas dommage! Je sentais bien que quelque chose n'allait pas. Tenez, j'ai la clé.

— Attendez. Peut-être est-il sorti?

— Non. Ça, je peux le jurer. Il est entré hier soir à minuit passé, trempé, et il est monté tout droit à sa chambre. Je me lève à cinq heures, moi, monsieur. Et quand je me lève, j'ouvre la porte en bas. Les locataires n'en ont pas la clé. Il ne pouvait pas sortir avant, et il n'est pas sorti depuis, j'en suis sûre.

Je la laissai introduire la clé dans la serrure. La porte s'ouvrit à peine: une chaîne de sécurité la maintenait entrebâillée.

— Haller? Haller, répondez-moi! Répondez, nom de Dieu, ou j'enfonce la porte!

— Dites, vous paierez les dommages!

La porte céda au deuxième coup d'épaule. Haller n'était pas dans sa chambre. Comment cela était-il possible? Il ne pouvait avoir mis la chaîne par l'extérieur. Je devinais ce qui avait pu se passer, mais ne voulant pas effrayer la logeuse de Haller, je lui fis cette remarque.

— Écoutez, je sais que Mafteh Haller avait quelques problèmes d'argent. Il se sera enfui par la fenêtre pour éviter d'avoir à vous payer. Prenez ceci. Je m'occupe de ses affaires. Je crois savoir où il a pu se réfugier. Vous louerez sa chambre à quelqu'un d'autre.

— Mais...

— Je vous en prie. Faites ce que je vous dis.

— Bah! vous savez... un locataire ou un autre... N'empêche, celui-là était bien tranquille... Bizarre, mais tranquille...

Elle prit l'argent que je lui tendais et s'en fut en me disant que je pouvais bien faire ce que je voulais de ses affaires, après tout, cela ne la regardait pas, et tant mieux si un locataire qui ne peut pas payer la quitte, c'est moins de soucis comme ça, et une chambre, on trouve toujours quelqu'un pour l'occuper, et ce monsieur Haller avait beau être tranquille, il était bizarre, oui, inquiétant...

Ses paroles se perdirent dans le silence, et je me retrouvai seul dans la chambre de Haller, que je me mis à explorer lentement du regard.

Le lit n'était pas défait. La chambre, remplie à craquer de livres, témoignait avec éloquence de la passion que Mafteh Haller éprouvait pour l'imprimé. Une odeur de renfermé et de poussière régnait. J'ouvris la fenêtre et les volets. La pièce fut baignée de lumière.

Je m'approchai de la cheminée. Les braises

encore tièdes indiquaient que Haller avait entretenu un feu assez tard dans la nuit. Juste devant, j'aperçus un tas de vêtements froissés: ceux qu'il avait endossés la veille. Tout à côté, le miroir. Et près du miroir, le livre, ouvert à la dernière page de texte. Après un blanc, commençait la liste de noms dont m'avait parlé Haller.

Je me penchai pour prendre le miroir, sur lequel un peu de cendre s'était ramassée en petit tas. Je soufflai sur la cendre pour l'éparpiller. Au même moment, j'entendis une voix qui gémissait, qui m'appelait aussi, du plus profond du temps. Et je vis... c'était à n'y pas croire! je vis le visage de Haller, dans le miroir! Son visage! Dans le miroir! Et il m'appelait, lointain, lointain, s'éloignant un peu plus à chaque seconde! Je fus saisi d'une stupeur sans nom et voulus fuir, mais mes jambes restèrent clouées au sol. Haller... Pauvre Haller... Où êtes-vous donc?

Je ne sais pourquoi, je pris le petit livre et le feuilletai. Ses caractères — dont je ne saisissais pas le sens — dansaient devant mes yeux. La clé de la serrure en forme de lion gisait sur le tapis. Je la mis dans ma poche. Puis j'y glissai aussi le livre, malgré moi. Oui, malgré moi. Car je savais déjà ce que le garder pouvait signifier. Mais quelque chose me poussa à le faire. Et je sortis aussitôt.

Depuis, le manuscrit ne me quitte pas. Lorsque je le range, je me sens poussé vers lui, et je le reprends dans mes mains pour l'examiner. Peut-être ne me croirez-vous pas? Je me suis mis à l'étude du persan... J'y ai travaillé sans relâche pendant des mois, enfermé, sans presque dormir ni manger. J'ai ainsi déchiffré le premier texte. Puis le deuxième. Et j'ai vu, moi aussi, le nom de Mafteh Haller au bas de la liste. Je l'ai vu. Dieu me garde! Je l'ai vu, je le jure.

Il y a quelque temps je me suis mis à fabriquer le miroir de mercure. C'est le livre qui me l'a ordonné. Il ne m'a servi à rien de tenter de ne pas le faire. Partout, toujours, le livre tombait sous mes yeux, à la page du miroir, et je me remettais à la tâche.

Le miroir est terminé, maintenant. Et la suite m'attend. Je l'ai lu dans le livre. J'ai été forcé de le lire.

Il y a trois jours, j'ai aperçu mon nom au bas de la liste. Comme Haller avait vu le sien. Mon nom est apparu au bas de la liste. Je sais qu'il me reste peu de temps. Qu'il est trop tard pour me sauver. Je sais que je suis perdu. Je sais que j'irai rejoindre Haller. Mais où Dieu est Haller? J'ignore où j'irai le rejoindre. Mais j'irai.

Voilà pourquoi j'ai consigné cette histoire. Et parce que je ne sais quand elle se terminera ni même si elle aura une fin. Je la mettrai sous enveloppe cachetée. Pour après. Pour expliquer. Pour qu'on sache.

Cela fait, je graverai sur le miroir ce que le livre m'a dit de graver. Je prononcerai sur lui les paroles que le livre m'a dit de prononcer. Je ne pourrai pas l'éviter. Je suis condamné. Condamné. C'est terrible... Qui me verrait aujourd'hui ne verrait qu'un homme en sursis. Voilà ce que je suis devenu.

Je prononcerai les paroles. Je graverai les signes. Et ces signes et ces paroles me réduiront en cendres.

Un petit tas de cendres sur le miroir. Un petit tas de cendres. Rien. Néant. Un tout petit tas de cendres.

Mais auparavant, j'emballerai soigneusement le livre, et je posterai ce colis à une personne que je ne connais pas, mais dont le nom et l'adresse m'ont été dictés par le livre. Et cette personne recevra le manuscrit sans savoir d'où il provient. Et cette personne le gardera, parce qu'il faudra qu'elle le garde.

Et le cycle, l'abominable cycle recommencera...

LE FIL D'ARCHAL

The darkness was coming in
long white waves. A prolonged
sibilance filled the night...
Conrad Aiken,
Silent Snow, Secret Snow

On l'avait entendu pour la première fois par un matin des plus ordinaires. Cela ressemblait à un sifflement sourd dont l'épais brouillard qui, tous les jours, monte en hautes tranches de la vallée eût masqué la provenance.

Pendant une heure au moins rien ne perce ce blanc: ni flèche de cyprès, ni campanile, ni beffroi. Au-delà de la cour intérieure où le figuier montre quand même sa charpente tordue et quelques fruits renflés, le monde entier semble avoir été sucé pendant la nuit par une bouche énorme qui se serait employée à le baratter puis à le recracher comme du petit lait. À faible distance, les géraniums tirent malgré tout des langues dont on perçoit le rouge obscène, mais plus loin un autre monde s'épand sur le premier avec la souplesse d'un linceul. On n'entend jamais alors que l'écho lointain des cloches du couvent appelant les moniales à none et, parfois, quand la journée sera torride, une sorte de froissement de l'air, ou plutôt de grésillement précurseur que l'on peut croire issu du cœur même de la terre.

Un sifflement tel celui de ce matin-là s'impose d'emblée comme un fait insolite, pourtant on n'en fit que peu de cas, préférant l'attribuer à quelque aberration de l'ouïe ou le dire né aux lèvres d'un bersaglier errant dans la pinède. On ne s'y arrêta qu'ensuite, quand le brouillard se fut arraché de la vallée par le fond pour laisser paraître une agglomération médiévale, et que le son se manifesta de nouveau.

C'est un spectacle assez étonnant que celui de ces toitures s'extrayant de l'ouate qui sert quotidiennement à les laver. On peut aisément se laisser distraire par elles, par le luisant des tuiles mouillées ou des cuivres. Jamais mieux qu'à ce moment-là ne resplendit le rose des églises, tandis que, tranchants comme des couteaux neufs, clochers et tours de guet témoignent à la perfection du haut savoir de leurs architectes. Au fur et à mesure que se dilue le brouillard, un soleil timide vient frapper le fleuve coupé de ponts anciens et fort beaux; leur matériau s'en roussit, moins cependant qu'au couchant quand il paraît teint avec du brésil. Quelques minutes doivent encore s'écouler pour que, s'effilant, la vapeur libère le cirque de collines et brosse à la vieille ville un fond sombre fait de larges masses de pins et de quelques cyprières isolées. Sur les crêtes, plutôt trapues au demeurant, les villas patriciennes patientent jusqu'à ce que les brumes affaiblissent leurs nappes, les déchiquettent aux saillies des toits et dévoilent enfin un ciel parfaitement lisse, rasé de frais.

Mais on ne s'était pas laissé distraire. Au second sifflement, on avait ouvert les portes et fendu la bruine pour le trouver. La maison ayant été érigée sur le site d'un cimetière étrusque, subsistaient des vestiges de murs qu'on avait patiemment fouillés: la légende ne voulait-elle pas que des esprits vinssent chercher le frais entre les pierres par temps de canicule? Les esprits ne se manifestèrent guère, et le son, revenu avec plus d'insistance, fit se diriger les recherches ailleurs. On examina une à une diverses urnes funéraires disposées symétriquement entre des plantes en pots au long des baies du jardin d'hiver sans rien trouver. Des lézards s'enfuirent, un point c'est tout. On balaya alors le fond du puits au moyen d'une lampe de poche, toujours en vain, puis on s'attaqua aux allées menant sous des charmilles jusqu'au clapier. Des niches les bordaient qui, presque toutes, abritaient quelque Cérès ou Furrina aux membres souvent tronqués. L'une d'elles, une Athéna décapitée, portait sur ses genoux sa propre tête et celle-ci s'appuyait de guingois au drapé rugueux du peplum.

On procéda sur-le-champ à une minutieuse enquête dans ces corridors divins où le sifflement s'engouffrait maintenant avec des airs de corne de brume. On palpait tantôt un sein, tantôt une cuisse, on auscultait les déesses, examinait les socles, on s'approchait parfois jusqu'à étreindre les roides formes minérales comme si d'elles pût sortir quelque souffle vital. En vain.

Le brouillard s'atténuant, on remonta avec plus d'aise à la source du bruit jusqu'à la chapelle. Celle-ci, jouxtant perpendiculairement la villa, lui formait comme un bras. On dut quérir la clé à la cuisine: désaffecté, l'oratoire ne servait plus qu'aux araignées dont certaines toiles se rompirent quand on franchit le seuil. Les yeux peu faits à l'obscurité des lieux ne distinguèrent au début que la tache allongée de l'autel, mais bientôt une lumière blanchâtre se fraya un chemin à travers les branches des deux arbres centenaires qui flanquaient la porte. On vit quelques cierges sur une nappe jaunie dont la dentelle déchirée pendait à l'angle; un retable de bois sculpté; un tabernacle sommaire qu'on eût dit portatif; des burettes crasseuses sur une table de coin; des chaises, et des agenouilloirs au nombre de huit.

Le son qui provenait clairement de là semblait filtrer par la rainure comprise entre deux dalles du sol, sur lesquelles on pouvait lire, sous la poussière, quelques phrases latines. La plus petite, lâche, céda quand on la fit jouer. On put la soulever sans peine.

La stridence qui s'échappa de la fosse creva les tympans, fit voler les vitraux en éclats et osciller, au bout de sa chaîne, une lampe en laiton ajouré. Bien pis, le bruit semblait hurler quelque chose, se manifester comme une âme damnée qu'on libérerait enfin de l'enfer ou un guerrier au seuil de sa plus grande victoire. Il y avait de l'inhumain dans ce sifflement, il semblait retentir avec la force inouïe d'ombres tenues prisonnières depuis des siècles et qui se verraient subitement affranchies, finalement dégagées de leurs fers.

Le bruit cessa. D'abord, on n'eut pas conscience du silence. Un écho persistait dans les cerveaux lacérés. Puis on sentit peser autour de la tombe un calme lourd, absolu, qui comprima les gorges et interdit, par contagion, la moindre parole. On dut demeurer ainsi immobile et muet pendant deux bonnes minutes. Après seulement, on osa s'approcher de la cavité.

Ce qu'on y distingua n'avait jamais encore été vu de mémoire d'homme. La chose, recroquevillée dans un coin, avait la consistance de la fumée opaque qui se dégage d'un feu de paille; elle se tenait dans l'angle avec toute sa blancheur d'ouate, sa masse de coton battant avec la régularité d'un cœur. On a peut-être dit qu'ainsi prostrée elle exprimait la peur, mais rien n'est moins juste. En réalité, elle organisait des forces accumulées et repassait mentalement sa stratégie. Je dis bien «mentalement»: elle possédait sur son renflement antérieur deux percées sombres comme des creux orbitaires où l'on eût pu glisser des yeux, et derrière ces ouvertures, si vides parussent-elles, quelqu'un pensait. Réfléchissait. Calculait. Planifiait.

Ce qui se passa par la suite tient du prodige. D'un mouvement rapide, la boule cotonneuse sortit de la fosse sans un souffle et se maintint au-dessus du vide pendant quelques secondes. Puis elle parut vouloir s'aplatir. Comme si cette transformation lui eût coûté quelque effort, elle l'accompagna d'un sifflement discontinu, fait de traits longs et de traits brefs qui n'étaient pas sans ressembler à des signaux de morse. Quand elle eut atteint le degré désiré de finesse, elle se contracta dans l'autre sens, ce qui eut pour effet de lui donner toute l'apparence d'un mince brin de laiton, et ce fil d'archal maintenant tendu vibrait comme une corde de guitare que l'on vient de pincer. Ce faisant, il émettait la même stridence qu'auparavant mais en l'accentuant, la prolongeant, la faisant s'éterniser dans un aigu d'une violence extrême.

Puis, trop rapide pour l'œil, il sortit de la chapelle, rasant tout sur son passage.

Ai-je dit raser? Ce serait plutôt engouffrer. En moins de temps qu'il n'en faut pour le dire il avait avalé l'oratoire et tout ce qui s'y trouvait, aspiré le jardin en passant dessus comme une tondeuse, s'attaquait à la villa, puis à la colline elle-même. Il faucha le coteau voisin et bien vite tout le cirque d'éminences entourant la ville.

Le fil d'archal engloutissait tout à une vitesse prodigieuse. Bien avant l'aube, il avait dévoré la banlieue — ce dont on ne saurait logiquement se plaindre — et se dirigeait vers le centre en dessinant une spirale qui n'épargnait rien ni personne. Ensuite, ce furent la province et le pays tout entier. Toujours avide, il but les océans et les mers, ingurgita l'Europe, l'Afrique, l'Asie, hésita un moment devant l'Amérique, mais ne sut résister. À ce rythme quelques semaines suffirent pour que la brume matinale n'ait plus un centimètre carré de terre sur quoi se lever, conclusion fort triste à laquelle eût pu arriver un esprit mathématique s'il en avait eu le temps. Mais ni génie ni sot ne jouit d'un tel luxe. Le fil d'archal, emporté dans sa course, effaça de l'espace toutes les galaxies avant d'aller, repu, reprendre sa place en Paradis pour réfléchir à la façon dont il reconstruirait le monde en s'efforçant, cette fois, de ne pas le rater.

LE MANUSCRIT DE DIEU

— Lllllààà... fit Dieu, en tapotant d'une main satisfaite l'Œuvre terminée qui s'étalait maintenant sous ses yeux.

— Ce n'est pas trop tôt, intervint madame Dieu. Tu étais décidément devenu tout à fait bougon et insupportable.

— Que veux-tu, ma chère, «L'art est toujours le résultat d'une contrainte.» C'est Gide qui dira cela. Quand je le voudrai bien... En attendant, pourquoi ne jetterais-tu pas un coup d'œil là-dessus? Tu es si méticuleuse. Ça me rassurerait.

— Et la soupe?

— C'est dimanche. Je m'en charge. Ça me reposera.

Madame Dieu se mit au travail. Son œil de lynx repérait toutes les faiblesses et les tics: invraisemblances, incohérences, répétitions indues, fautes de concordance ou fautes d'accord; elle retranchait ici, ajoutait là, déplaçait ceci ou modifiait cela, transformait ce qui gagnait à être transformé, laissant tel quel ce qui était parfait, sans relâche ni pitié, jusqu'à ce qu'elle dise, par mimétisme:

— Lllllààà... en tapotant d'une main satisfaite l'Œuvre sans scories qui s'étalait maintenant sous ses yeux.

— Merci, dit Dieu. Tu es très chou.

Puis, soucieux d'examiner son Œuvre avec le recul nécessaire, Dieu la laissa dormir pendant quelques milliers d'années.

Moment paisible... Sérénité... Harmonie... Dieu fumait sa pipe en toute quiétude. Les oiseaux chantaient. Les sources coulaient. Madame Dieu mettait au point une rose hybride qu'elle baptisa Rose d'Éden. L'unité et le calme enveloppaient tout. Perpétuel dimanche.

Le paradis, quoi.

Puis, Dieu vit qu'Adam, d'ennui, avait commencé à se ronger les ongles. Il se pencha vers lui:

— Qu'est-ce que c'est que ces manières? Regarde un peu de quoi tu as l'air... Ce n'est pas très soigné...

— Oh, je sais... mais que veux-tu, la routine, moi, ça me rend fébrile. Je ne suis vraiment pas fait pour la vie éternelle. Question de tempérament. On en fait vite le tour, et puis après, ça traîne... ça traîne...

— Ouais... je vois... Mais, dis-moi... et Ève? Vous ne pourriez pas trouver quelque chose à faire ensemble?

— Tu parles! Depuis qu'elle «converse avec les bêtes», comme elle dit, elle se prend pour saint François, elle a les yeux vitreux, l'air complètement parti. Dans les pommes.

— N'anticipe pas: saint François ne viendra que beaucoup plus tard.

— C'est toute cette perfection, Dieu... ça me met les nerfs en boule et j'en perds la notion du temps.

— Bon. Laisse-moi réfléchir. Je vais trouver une solution.

Il consulta madame Dieu.

— Confie-lui ton Œuvre. Demande-lui ce qu'il en pense. Ça le distraira.

— «Que serais-je sans toi?»

— «...!»

Dieu remit l'Œuvre à Adam.

* * *

Sans nouvelles d'Adam depuis une trop longue période, Dieu poussa doucement la porte du Jardin:

— «Que les oiseaux et les sources sont loin!»

Franchement, il y avait là un bordel-de-Dieu que ce n'était pas possible. Adam avait sensiblement modifié l'intrigue. Dieu sentit la moutarde lui monter au nez.

— Couillon imberbe! tonna-t-il. Qu'est-ce que c'est que ce foutoir?

Ève et Adam, vautrés et se tortillant comme des serpents qui muent au beau milieu de l'Œuvre partout éparpillée, levèrent sur Dieu des yeux embués de plaisir.

— C'est drôlement mieux comme ça, rétorqua Adam, à bout de souffle.

— Espèces de petites larves! Qu'avez-vous fait de l'Œuvre? Elle était parfaite!

— Trop, risqua Ève. Ça manquait de piquant.

— Toi, tais-toi! Je ne t'ai rien demandé! répondit Dieu en ramassant tant bien que mal les lambeaux de l'Œuvre. Regardez-moi ça... mais regardez-moi ça... et il en manque...? Adam! qu'en as-tu fait?

Il pleurait presque.

— Allons, allons, ce n'est pas si grave, Dieu. Les créations collectives sont tout à fait démocratiques.

— Imbécile! Ne sais-tu pas que «L'art est l'antithèse directe de la démocratie»? Et puis, qu'est-ce que ça veut dire, «création collective»?

— Ça veut dire que le reste, je l'ai confié à Moïse.

— À Moïse? À ce vieux con? Tu n'es pas un peu fou? Et puis, je ne l'ai pas encore fait naître.

Ève, qui était déjà grosse de Caïn, répondit en se flattant le ventre:

— S'il s'y met, et ses fils après lui, ce ne sera plus très long.

Dieu, à ces mots, perdit carrément les pédales:

— «C'est MOI le poète, et VOUS les acteurs!» Foutez le camp! Je ne veux plus de vous dans mon Oeuvre! Bouchers! Chirurgiens! Équarrisseurs!

Et, de rage, Dieu lança son Œuvre à la tête d'Adam et d'Ève, si bien que lorsqu'il eut claqué derrière eux la porte du Jardin, il se retrouva les mains vides.

— C'était bien la peine de me donner tant de mal pour me faire damer le pion par des amateurs...

* * *

Les années passèrent. Les siècles. L'Histoire.

Dieu, désabusé et impuissant, regardait l'Œuvre prendre toutes sortes de directions imprévues. Caïn, Abel, Moïse, la belle Cléo, l'autre belle Cléo (de Mérode), Lucrèce, tous les rois Louis et tous les princes Philippe, les ministres écrivains populaires, les Adolf, les imams, les professeurs, les féministes et les présidents se prenaient pour des acteurs devenus metteurs en scène devenus poètes. Une ou deux fois, Dieu tenta d'intervenir. Cela exigeait de lui des actions spectaculaires et n'avait pas beaucoup d'effet au bout du compte. L'Œuvre lui échappait totalement, il la reconnaissait de moins en moins, même si de temps à autre il s'amusait ferme des discussions et des bagarres philosophiques et théologiques qu'elle soulevait:

«— Qu'en dis-tu, alors, du fait que Notre Seigneur, quand il était à Jérusalem, revenait chaque soir à Béthanie?

«— Et si Notre Seigneur voulait aller dormir à Béthanie, qui es-tu, toi, pour critiquer sa décision?

«— Non, vieux bouc, Notre Seigneur revenait à Béthanie parce qu'il n'avait pas de quoi se payer l'auberge à Jérusalem!»

Mais ces quelques parenthèses mises à part,

Dieu ne rigolait pas, et c'était lui maintenant qui se rongeait les ongles.

— Regarde un peu ça, disait-il, larmoyant, à madame Dieu. Ils ont bousillé le décor, interverti les scènes, chamboulé l'Intention! Et qu'est-ce que c'est que ces dialogues à la con, je te le demande! Création collective, mon œil! Et où se trouve le respect du Créateur dans tout ça? Ils ne se rappellent même plus qui je suis... Tous des merdes. Dire que je voulais faire une saga!

* * *

À quelque temps de là, le magasin des accessoires livrait ses missiles côté cour et côté jardin.

C'en fut trop pour Dieu qui perdit tout sens de la mesure. Il lança (pour aussitôt s'en mordre les pouces) les mots-détonateurs:

— «Race de monde!»

Madame Dieu sursauta, horrifiée:

— Nous en sommes là?

— Hélas...

— Alors, soupira-t-elle, c'est vraiment la fin.

Et avec Dieu, elle regarda l'Œuvre sombrer dans le néant.

L'ALCYON DE CARNAC

Toute la journée, on avait attendu qu'il pleuve. Un vent glacial soufflait encore du nord et de la mer en charriant de lourds nuages chargés d'eau. Ils s'entrechoquaient. On pouvait même les entendre se heurter avec un bruit semblable à celui que font des draps gelés quand ils battent sur la corde à linge. Parfois un œil s'ouvrait dans leur toison et un rayon clair brillait pendant quelques secondes sur un fond d'orage. Il arrivait que la mer s'en illumine, mais cela durait peu: elle grisonnait de minute en minute avec le froid et le soir qui tombait. Elle se jetait contre le roc dans un élan proche du désespoir, ébranlant presque ces falaises qu'elle vrillait sans répit comme pour s'y creuser un havre. À côté, sur la plage, elle venait défaire de longs rouleaux sans couleur. Ils s'y répandaient avec moins de nonchalance que de hâte à succomber, dans les recoins pierreux, à une très vieille fatigue comme si tout, enfin, allait être accompli.

Plus loin, les monolithes luttaient contre l'hiver en se couvrant de lichens blancs. Dressés en longues files parallèles, ils dessinaient des avenues dont le tracé rencontrait à un bout une aire en forme d'ellipse bornée par des pierres coniques inclinées vers le centre. Le vent qui zigzaguait entre les menhirs émettait un son grave, presque charnel, une forte résonance qui rappelait un glissement d'archet sur les boyaux d'un violoncelle. Le mauvais temps faisait la nuit pâteuse, mais n'assombrissait pas les blocs rocheux dont la blancheur formait des taches régulières. Ils suintaient, exsudaient des lueurs comme si leur intérieur contenait une vive lumière dont le trop-plein fuyait par les fissures. Aucune autre clarté sur ces alignements, ni venant des hameaux ni venant des villages, car de hameaux et de villages il n'en existait point: cela se passait il y a beaucoup de siècles quand, à Carnac, vivaient moins d'hommes que de dieux et que les pierres parlaient.

Toute la journée, on avait attendu qu'Il vienne. On avait chuchoté que les signes, cette fois, ne trompaient pas: Il devait venir, Il ne pouvait plus tarder. Certains parmi les menhirs les plus autoritaires avaient chargé une armée de korrigans de rendre propres les avenues. Aussitôt, des centaines de lutins en tablier entreprirent de ratisser le sol, désherber, aplanir les mottes et combler les enfoncements, tâches rendues malaisées par le temps maussade et le vent violent. Il y eut bien sûr quelques blessés quand une bourrasque plus forte que les autres projeta des korrigans contre le roc, et une rixe entre tribus lorsque d'aucuns, lassés de leur travail, voulurent en changer. Cependant, un menhir tonitruant ordonna que l'on respecte la division des tâches: les Korlis aux râteaux; les Teus aux pelles et aux pioches; les Gauriks au râtelage des lichens. Quant aux Poulpiquets, ils furent envoyés en éclaireurs, qui dans les landes, qui sur les plages, qui sur les caps.

Quand les lieux furent bien ordonnés, on attendit. Les menhirs se perdaient en conjectures sur le moment exact de Sa venue, les korrigans se chamaillaient au sujet de Son aspect, on parlait en prophète et jouait les devins, l'un assurant qu'Il viendrait par les terres, l'autre jurant qu'Il sortirait de l'eau. Les alignements vibraient d'un bourdonnement continu fait de timbres divers, les voix aiguës des korrigans s'amalgamant dans celles, caverneuses, des anciennes pierres.

Soudain, le signal: il provenait de la plage en un cri modulé et perçant. On sut qu'Il était là. Il y eut un remue-ménage parmi les menhirs, une vive commotion pendant laquelle Korlis, Teus et Gauriks s'en furent prendre place au-delà de l'ellipse avec force cris et bousculades; la terre trembla un peu; puis tout se tut, tout devint immobile, tout se figea. Même le vent qui avait depuis peu balayé le reste des nuages se maintenait en attente au-dessus des monolithes. Ceux-ci avivaient leur lueur par des pulsions régulières et parsemaient ainsi la lande de brandons.

Entre-temps, sur la plage, on s'affairait. Dans le ciel lavé une étoile plus brillante que les autres avait d'abord décrit des mouvements erratiques en déchirant la nuit de longues stries orange. Puis elle avait piqué vers la mer et, comme elle allait s'y engouffrer, s'était arrêtée net pour glisser ensuite au ras de l'eau et venir se poser calmement sur la grève. Sous le regard ébahi des lutins, elle continua de briller pendant quelque temps, puis elle s'éteignit.

Alors, les Poulpiquets Le virent. Il avait la forme d'un œuf immense et pâle qui se tenait sur sa pointe en parfait équilibre. Un remous sembla en agiter l'intérieur et bientôt la coquille se fendit. On vit paraître un bec crochu, puis deux pattes palmées, et enfin un corps plumeux assez terne, entre gris et blanc, qui secoua maladroitement de lourdes ailes. L'oiseau — qui tenait à la fois de l'albatros et de l'alcyon — attendit qu'on Lui rende hommage. Les korrigans s'inclinèrent avant de former un cortège dont Il prit la tête. On se rendit ainsi en deux rangs jusqu'aux landes à la suite de l'Oiseau-Messie.

Au pied de l'allée centrale, l'alcyon déploya des ailes démesurées, chaque pointe rejoignant les menhirs placés en vis-à-vis. Dans cette attitude royale, Il précéda les korrigans jusqu'à l'ellipse où Ses suivants s'éclipsèrent et où L'attendaient les doyens des menhirs.

Le Messie s'ébroua quelque peu au milieu du cercle des anciens avant de s'immobiliser et de fixer Son regard sur la foule palpitante des monolithes. Ceux-ci entonnèrent un chant de bienvenue ponctué d'éclats lumineux, somme de toutes leurs connaissances verbales, un étrange *a-ôm* qui ébranla les entrailles mêmes de la terre. Les anciens évoquèrent ensuite tour à tour les malheurs de leur longue attente et exprimèrent leur joie à la venue du Sauveur. Ils espéraient de Lui rien moins que le miracle suprême, la libération d'énergies contenues, la métamorphose, la vie: les menhirs allaient enfin devenir des hommes.

Alors, l'alcyon eut ces paroles étonnantes:

— Je suis venu pour la Lumière!

Et la lumière fut.

Plus violente que jamais, elle explosa presque dans le cœur des pierres ahuries. Elle sortit d'elles qui cherchèrent en vain à la retenir.

De terne qu'il était, l'alcyon devint à son contact un être éblouissant. La lumière composa ensuite un nid au-dessus de la lande où l'oiseau se blottit dans un battement d'ailes.

Aussitôt, il s'enfuit jusqu'à la mer en poussant un grand cri qui ne tarda pas à devenir un rire, il s'enfuit des menhirs impuissants qui perdaient leur lumière et leur voix, il s'enfuit, emporté par son nid qui se posa loin sur l'eau, très loin, bien au-delà de l'horizon.

L'alcyon vit depuis lors en pleine mer. Il se manifeste parfois à la mâture des navires pendant les orages sous l'apparence d'une boule de feu.

Les korrigans ont cédé à l'ennui: ils font danser jusqu'à l'épuisement les voyageurs égarés et se livrent à des luttes tribales sans merci.

Les menhirs, quant à eux, bernés et désormais muets, pleurent leurs espérances perdues de toute leur masse éternellement sombre. Leur faux messie ne leur permet qu'une chose, mieux, il l'exige: pour commémorer le jour de sa venue et adorer l'alcyon dans son nid de lumière et d'eau, le vingt-quatre décembre, à minuit, les menhirs de Carnac s'ébranlent et vont boire à la mer.

LE CORDIER DE SYRACUSE

Dire que s'élèvent encore des latomies syracusaines les plaintes des Athéniens qui y périrent, ou que les nécropoles voisines dégagent à ce jour d'âcres relents qui, bien avant de s'unir aux parfums des eucalyptus dont sont bordées les carrières de craie, prennent à la gorge quiconque pénètre dans ces tombes, là n'est pas mon propos. Je ne forme pas davantage le dessein de procéder ici à la nomenclature des génies et des nymphes qui se transmuèrent en fontaines ou en rus dans ces étranges lieux, tâche dont s'acquittent fort bien la Fable et les vade-mecum. Mais je propose un roc en aucun point sinistre, creusé tout uniment et d'admirables proportions, soutenu par de forts piliers naturels entre lesquels jaillit, dans un bassin, une eau toujours très fraîche où l'on met le chanvre à rouir.

La grotte s'appuyant à une dépression du terrain comme au versant d'un cirque, pour y accéder, il faut suivre un sentier légèrement incliné, dessiné en croissant, dont les extrémités embrassent aux flancs une aire ellipsoïdale projetée par la bouche rocheuse telle une épaisse langue sombre.

Sur ce muscle pierreux, deux chaises. Elles sont placées en vis-à-vis, mais à telle distance l'une de l'autre que les hommes qui les occupent n'échangent pas un mot de tout le jour. Ils lèvent aussi rarement la tête et se regardent si peu que l'on pourrait croire chacun ignorant de la présence de son double, tandis qu'ils s'affairent devant un caret qui tend entre eux le chanvre à cordeler. Leurs mains agiles tressent du matin au soir une matière jaunâtre et rude dont ils font de temps à autre de petits écheveaux porte-bonheur retenus par un fil de liage qui les fait ressembler à des cravates de pendus. Puis ils les laissent tomber dans un panier d'osier où flotte un carré de carton sur lequel un prix a été griffonné à la hâte.

Le bonheur, en Sicile, se paye... trois cents lires? cinq cents? mille? Peu. Rien. Les touristes en achètent un morceau en jetant négligemment aux pieds des cordiers les espèces sonnantes, puis ils portent immanquablement à leurs narines l'écheveau blond pour le regarder ensuite d'un air étonné, déçus de constater que la félicité est inodore. On peut croire cependant qu'elle lorgne bien son homme d'entre les fils de caret, car depuis que les Syracusains ont délaissé le commettage et sacrifié leur art à l'ineptie des vacanciers, il se trouve toujours et d'abondance des étrangers hardis à débourser pour le bonheur du chanvre deux fois plus qu'il ne vaut.

Je m'en voudrais toutefois de prétendre que les pièces accumulées en fin de journée suffisent à procurer aux cordiers une vie d'aisance et des repas plus opulents que n'en contiennent, le midi, les papiers kraft aux bouts entortillés d'où ils extraient d'énormes demi-pains recouverts de farine, fourrés au saucisson ou au jambon de Parme, car on ne saurait mener vie plus frugale que cette paire d'hommes minces et quasiment muets, en apparence aussi semblables que deux cellules d'un même œuf. S'il se dégage quelque chose d'attentif, voire de résolu, de leur corps incliné, qui laisse supposer chez l'un comme chez l'autre le même attachement à leur besogne et une complète indifférence pour tout ce qu'ils ne pourraient réunir en torons, à les examiner de près, on découvre chez le premier un regard énergique que n'égalent jamais les yeux atones du second.

Celui ci semble s'accommoder, ma foi, très bien d'une routine sans avenir et paraît avoir développé un talent certain à ne penser à rien qui vaille. Il passe d'aube à crépuscule dans une vacuité mentale dont il tire quelque sérénité, se contentant d'empocher, l'heure venue, le produit de ses ventes du jour. Puis il descend par les venelles et escaliers jusqu'à la ville où, dans un bas quartier, l'attendent pour ainsi dire côte à côte une épouse parcimonieuse et un plat de fèves, dont il ne conteste jamais — grand bien lui fasse — l'austérité. Il faut dire que le montant de la recette cédée alors à sa femme s'ampute toujours de quelques centaines de lires. Il amasse ainsi en tapinois un petit pécule qu'il perd aussitôt au trictrac ou qui le gratifie, à l'occasion, des longues jambes d'une de ces paillasses de corps de garde qui traînent près du port, plus belles à Syracuse que sur le continent. On peut donc conclure sans risque d'erreur que voilà une existence sévère, plutôt terne, mais apte à satisfaire pleinement un cordier de petite nature et de faible ambition.

Son compagnon, quant à lui, jouit nativement d'une grande prétention à la richesse, qu'exacerbe depuis fort longtemps la présence continuelle d'Américaines fortunées.

Il ploie, avec une apparente indifférence, sous leurs regards condescendants et subit sans réagir leurs éclats de voix où, mêlé aux accents mous et traînants d'une langue qu'il exècre comme tout ce qui ne chante pas, il perçoit amèrement le choc des dollars. Dans le cliquetis des appareils photographiques et des bracelets à breloques (tour Eiffel, poignard cordouan, gondole, guitare, Panthéon, main de Fatma, lion de Venise et autres brimborions), il rêve d'une Nancy Sinatra ou d'une Jean Harlow calée à son côté dans le mœlleux d'une Cadillac blanche avec chauffeur, tandis que lui, en costume fait main et gants de chamois, goûte tour à tour une bouche à saveur de fraise et un whisky d'Écosse en regardant couler par-delà la portière le ruban bleu et vert de la Californie.

À défaut d'une vie de carte postale, il se contenterait sans doute d'une maisonnette avec jardin, vers le nord, tout au pied de l'Etna, dans une Taormina pour césars en vacances. Dans ses moins bons jours, il trouve même suffisants un scooter étincelant ou du veau dans son assiette. De rêverie en rêverie, il s'arrache les doigts au chanvre sans trop souffrir de son sort jusqu'à ce que le lui rappelle le fond paillé et rêche de sa chaise. Tout, à la fin, use. On se lasse aussi de rêver.

* * *

Il ne m'appartient pas de dire pendant combien d'années il a su résister aux machinations qui, finalement, occupèrent son esprit. Mais je suis en mesure de constater qu'un jour, très certainement, sous des dehors diligents imitant à la perfection ceux de son vis-à-vis, il a élaboré avec minutie un plan de revanche qu'il n'a pas tardé à mettre à exécution.

Le voici donc qui transporte clandestinement de grandes quantités de fibre de chanvre dans un recoin isolé, près des latomies, où une végétation excessive interdit aux touristes de se hasarder. Il travaille longtemps, profitant de la nuit, à confectionner des fils de caret. Cette première étape franchie, il fabrique plusieurs filets aux réseaux complexes de nœuds. Quand il en a maillé un nombre suffisant, il les cache, *Via dei Sepolcri*, dans une niche connue de lui seul.

Il élit ensuite parmi les visiteuses solitaires celle dont les bagues et les colliers sont nombreux, mais sa cupidité n'excluant pas certain sens esthétique, il s'efforce de la préférer belle, longue et racée, pâle de teint et sombre d'yeux, et réalisant cette combinaison unique, tout américaine, de Jane et d'Amphitrite.

Par un hasard heureux, elle possède ce qu'il faut de crédulité pour le suivre quand il l'invite à visiter une partie des nécropoles extérieure au circuit habituel, où se trouvent, dit-il, quelques vestiges archéologiques mal gardés, fragments d'urnes, maxillaires de Carthaginois, fibules et monnaies romaines ou de l'Hellade, exhumés certains soirs par des enfants, à la lueur de torches, dans d'autres sites, et conservés là-bas en attendant l'amateur averti qui se plairait à les leur marchander.

Elle s'étonne et se flatte qu'on lui propose une aussi bonne affaire et veut en savoir plus long sur les raisons qui poussent le cordier à la compter au rang des collectionneurs avides de reliques frauduleuses, mais elle se voit déjà, ravie, portant en boucles à ses oreilles des phalanges d'Athénien.

Le cordier la sait fort aisément convaincre de ce qu'elle est une femme exceptionnelle, au goût très sûr, capable d'apprécier les choses rares et belles. Témoins: ces bijoux, ces vêtements, cette démarche, dit-il, tout en vous parle de raffinement, d'élégance... À son bagout de marchand arabe hérité des ancêtres il joint un grand talent de séducteur (on ne côtoie pas d'aussi près l'Italie sans en tirer quelque avantage), de sorte que la belle plie sans se faire prier et consent, comme il l'y enjoint, à se montrer discrète sur le moment et sur le lieu de leur petite expédition nocturne.

— D'ailleurs, fait-elle en prenant une expression d'orpheline, à qui voudriez-vous donc que j'en parle?

Fort bien.

Entrent alors en trombe dans l'esprit du cordier toute une série de dictons et proverbes en accord avec la situation: «Tout vient à point à qui sait attendre»;

«La fortune sourit aux audacieux»; et quoi encore. Décidément, sa tromperie passait comme une lettre à la poste.

* * *

Ainsi donc, au soir tombé, en longeant les tombeaux creusés dans le roc calcaire de la *Via dei Sepolcri*, cette tranchée lugubrement blanche que tachent, comme d'immenses orbites, les cavités étranges, pleines d'ombres et de vampires, des sépulcres, elle glapit tout de même un peu — on ne saura jamais si d'aise ou bien d'effroi — pendant que le cordier s'achète déjà mentalement un costume neuf et un téléviseur.

La nécropole de Syracuse possède une avenue principale que l'on vient de nommer, mais aussi de petites anses secrètes où béent les bouches de tombes plus étroites. Le cordier conduit là son Américaine, qui hésite devant la niche, mais entre quand même en courbant la tête et en clignant des yeux, dans une bien vaine chasse au trésor. Lui, futé, reste derrière et, tirant sur un câble proprement dissimulé, fait cascader devant l'ouverture plusieurs filets superposés qui opposent à la prisonnière des rets très embarrassants.

Elle hurle, naturellement. Et elle fouit le chanvre pour y trouver un entrebâillement avec aussi peu de succès qu'un acteur empêtré dans son rideau de scène. Mais le cordier a déjà étouffé ses cris en roulant, au moyen d'un système de levier, une pierre très lourde devant l'ouverture.

* * *

Le cordier est un homme patient, nous l'avons déjà vu. Il laisse sa proie dans la niche assez longtemps pour que jeûne et isolement la rendent, sinon folle, du moins docile. Il est peu soucieux des recherches qu'entreprennent les autorités: le climat de l'île dispose mieux aux siestes qu'aux battues. Très vite, on hausse les épaules: «La belle a dû s'enfuir dans les montagnes avec un pâtre ou un brigand... On les connaît, ces Américaines, toujours en quête de romantisme...»

Le cordier, quant à lui, s'enflamme déjà à l'idée d'entasser là d'autres victimes plus ou moins consentantes qu'il dérobera et qu'il violera peut-être (mais ceci est moins sûr), car la niche est suffisamment logeable pour accueillir dans son ventre plus d'une Pasiphaé qui augmenteront d'autant le bien-être du Syracusain et sa fortune.

Mais — et c'est ici que se gâtent les beaux rêves du cordier — voilà qu'au moment où il se décide à pénétrer enfin dans la grotte pour alléger l'Américaine de ses bijoux et de son argent, celle-ci s'est déjà métamorphosée en louve (des transformations de ce genre sont monnaie courante dans l'île. Il y a qui devient nymphe, qui devient source, qui devient plante, qui devient satyre, qui devient roi, qui devient bon, qui devient méchant, qui devient sourd, aveugle ou muet — temporairement — et qui, heureux miracle! redevient vierge, avec le soutien des dieux. L'Américaine, fort jolie au demeurant, dut éveiller la compassion de quelques spectres grecs qui se portèrent à son secours de la façon la plus traditionnelle qui soit, sans s'inquiéter toutefois de savoir si cela pouvait lui convenir ou non).

Cependant, il est un fait connu, depuis les Pèlerins du Mayflower, que les Américaines savent s'adapter sans trop de mal aux circonstances les plus contraignantes. Elles ont engendré des générations entières de femmes habiles à manier autant la hache que l'aiguille ou le livre de prières, et qui n'hésitèrent pas, quand cela s'avérait nécessaire, à dépecer un ours ou scalper un «Sauvage». Celle-ci, forte de son hérédité, joue son rôle très bien en s'appliquant à déchiqueter son ravisseur aussitôt qu'il met pied dans la grotte. Puis elle sort, velue, hautaine et triomphante, et actionne le levier avec son museau: la pierre roule devant l'ouverture.

Les gémissements du cordier se confondent si bien aux ricanements des Athéniens dont les esprits hantent ces tombeaux que nul n'y prend garde. À ce jour, on a à peine noté sa disparition: c'était un cordier solitaire, sans famille, sans femme. Inexistant.

* * *

Mais la louve, direz-vous?

La louve erre depuis ce jour dans les montagnes de Sicile. On peut parfois entendre tinter ses bijoux. Elle cherche sans relâche un grand loup sympathique qui voudrait bien d'elle et qui parlerait (au moins un peu) l'anglais.

LE RAMEAU D'OR

Dès les premiers jours d'automne, Horace — qui, pourtant, ne paraissait jamais tendu — avait manifesté les signes d'une intense fébrilité. Sa femme Nora cherchait en vain à connaître les motifs de l'agitation de son vieux mari:

— Qu'est-ce que tu mijotes?

Horace, muet, souriait en tournant en rond comme un ours de la table à l'âtre, de l'âtre à la fenêtre, de la fenêtre au calendrier qu'il feuilletait avant de revenir à table.

— Plus que soixante.

— Soixante quoi?

— Jours.

Nora haussa les épaules et répliqua:

— Vraiment, mon pauvre ami, je ne sais pas ce que tu peux trouver à attendre qui te mette dans un état pareil. Je ne vois que Noël au bout de ton compte. Un autre Noël triste pour nous qui sommes vieux, seuls, sans enfant, et pas riches... pour ne pas dire pauvres, comme dans les mauvaises histoires.

Horace, pour toute réponse, tisonnait le feu avec vigueur. Empalés sur une broche, des merles rôtissaient.

— Ne fais pas trop monter la flamme, dit Nora avec calme. Tu carbonises ces pauvres bêtes qui n'en demandent pas tant... Raconte-moi plutôt ce qui t'échauffe ainsi.

Peine perdue. Horace tint bon dans son mutisme jusqu'à la veille même de Noël.

Ce soir-là, Horace surprit Nora en déposant des bougies sur la table, et des petites fleurs qu'il avait trouvées Dieu sait où. Ils burent un vin blanc qu'il avait mis au frais et mangèrent leur dernière oie, Horace ayant insisté pour qu'on la sacrifie en raison de son sale caractère.

— De toute façon, avait-il prétexté, nous en aurons autant qu'il nous plaira, d'oies. Et grasses. Et douces.

— Que veux-tu dire? fit Nora.

C'est alors qu'elle vit dans les yeux d'Horace une malice à laquelle il ne l'avait pas habituée. Il chuchotait derrière sa main pour que les murs ne l'entendent pas, et ses paupières étaient froissées de joie contenue (à peine):

— C'est Marcellin-le-Fou qui me l'a raconté, et il m'a fait jurer de ne le répéter à personne... alors, chut! En retour, je lui ai promis 10% de tout.

— M'enffiinn! Horace! De quoi parles-tu?

Nora atteignait le plus haut période de l'exaspération.

— Paraîtrait-il que dans le bosquet de noisetiers

du côté de la Rivière-aux-Âmes, il y a, qui pousse à la minuit de Noël, un rameau d'or. Qui le cueille devient riche.

— Si c'est le cas, pourquoi Marcellin-le-Fou ne le cueille-t-il pas lui-même?

— Hé! pardi... parce qu'il est bête!

— Attention... dire du mal d'autrui fait pousser des verrues sur le nez...

Horace ne put s'empêcher de vérifier si ne naissait pas là quelque excroissance indue, tout en faisant à Nora — dont il avait piqué la curiosité — le détail de l'affaire, telle que relatée par Marcellin-le-Fou (et trop longue pour qu'on la rapporte ici). Ensuite, il se mit à compter les heures.

Enfin, arriva le moment où Horace et Nora s'en furent du côté de la Rivière-aux-Âmes.

Nuit claire et douce. Pleine lune. Pas de neige encore. Dans le bosquet de noisetiers, Horace et Nora furetaient, le nez en l'air, en quête du fameux rameau.

Ils le trouvèrent au premier coup de minuit: le rameau clignotait comme une enseigne lumineuse. Tous deux grimpèrent à son assaut. D'abord l'un perché sur les épaules de l'autre (mais qui sur qui, ça...), puis ensemble à califourchon sur une branche et serpette en main, ils entreprirent de tailler le rameau d'abondance.

Une voix se fit entendre. Celle de Marcellin-le-Fou, au pied du noisetier.

— Ohé! Horace! il y a une petite chose que j'ai oublié de te signaler...

L'horloge du village sonna le cinquième coup.

— Vois-tu, il faut qu'avant le douzième coup de minuit tu aies enterré le rameau sous une racine de l'arbre où il pousse, sans quoi il tombera en poussière et tu te seras escrimé en vain...

Horace et Nora se regardèrent, inquiets: «Nous n'aurons pas le temps, pas le temps!»

— Mais si, mais si, fit Marcellin-le-Fou. Taillez vite! Je me charge du reste. Ce sera tout juste, mais nous y arriverons.

Ainsi fut fait. Horace et Nora détachèrent le rameau de l'arbre au dixième coup. Au onzième, ils le jetaient à Marcellin-le-Fou. Au douzième, ce fut la foire: Marcellin-le-Fou mettait le rameau en terre, les anges chantaient dans la campagne et entonnaient l'hymne des cieux, tandis qu'Horace et Nora...

Mais, au fait... où sont passés Horace et Nora?

Marcellin-le-Fou (pas si fou que ça) avait omis de dire autre chose à Horace et Nora: qu'il ne faut jamais, au grand jamais, se séparer du rameau d'or, mais l'enterrer *soi-même*. Sans quoi on disparaît dans le néant.

Funeste soir de Noël. Pour Horace et Nora, à tout le moins. Ils errent toutes les nuits dans le bosquet de noisetiers sans jamais trouver de repos.

Et Marcellin-le-Fou? Ah...! Vous voulez parler de Marcellin-le-Fourbe? Il est aujourd'hui châtelain et propriétaire de douze chevaux de course...

Quant à la rivière, on l'a rebaptisée Rivière-aux-Ânes.

LE TRENTE ET UNIÈME OISEAU

À Bahâdor, Wahib, Georges et Pierre,
pour la Perse, l'Égypte, l'encre
et le calame, et pour les
trente oiseaux de l'Islam.

Ils s'assurèrent enfin qu'ils étaient véritablement le Sîmorg et que le Sîmorg était réellement les trente oiseaux. Lorsqu'ils regardaient du côté du Sîmorg ils voyaient que c'était bien le Sîmorg qui était en cet endroit, et, s'ils portaient leurs regards vers eux-mêmes, ils voyaient qu'eux-mêmes étaient le Sîmorg. Enfin, s'ils regardaient à la fois des deux côtés, ils s'assuraient qu'eux et le Sîmorg ne formaient en réalité qu'un seul être. (...) Les oiseaux s'anéantirent en effet à la fin pour toujours dans le Sîmorg, l'ombre se perdit dans le soleil, et voilà tout.

Farid Uddin 'Attâr, *Mantic uttaïr* *

* Muhammad ben Ibrahim Nischapuri, dit Farid Uddin 'Attâr (*ca* 1150-1220), *Le langage des oiseaux* (*Mantic uttaïr*), traduction de

On raconte — Mais Allah seul est plus savant! — que Schahrazade, ayant gagné le cœur du roi Schahriar par ses histoires pendant mille et une nuits, devint son épouse légitime et eut ainsi la vie sauve. On raconte aussi que le roi Schahriar, qui avait pris goût à ces histoires, et qui souffrait toujours d'insomnies, ne laissait pas d'en réclamer de nouvelles. C'est ainsi que, de nuits, il y eut les mille et une premières, puis mille et une autres, puis mille et une autres encore, et de la sorte les époux connurent des nuits plus blanches que le jour jusqu'à ce que l'Inévitable, la Séparatrice des amis vînt enlever Schahrazade à l'amour de son Roi. Mais longtemps avant que ce jour funeste ne fît sombrer Schahriar dans un malheur sans remède, lorsque fut la deux mille huit cent quarante-troisième nuit, le roi Schahriar, qui avait écouté toutes les histoires précédentes de Schahriar, qui avait écouté toutes les histoires précédentes de Schahrazade avec un bonheur croissant, lui dit: «Ô Schahrazade! ô bouche au parfum de roses! que tes paroles me ravissent! Par Allah! quelle autre merveille peux-tu encore me raconter?» Et Schahrazade dit: «Justement, ô mon Maître, je connais les aventures d'un oiseau que son dédain des bons préceptes et son goût pour les plaisirs de ce monde conduisirent à un bien triste destin.» Alors, Schahriar répondit: «En vérité, j'eusse préféré cette nuit une histoire plus gaie, mais je ne doute pas que tu sauras me ravir quand même. Si donc tu souhaites me parler de cet oiseau étonnant, qu'il en soit ainsi.» Et Schahrazade, voyant cela, réfléchit un instant et dit:

Garcin de Tassy (réédition de l'édition de 1836) précédée de *Poésie philosophique et religieuse chez les Persans*, Paris, Papyrus, 1982, 382 p.

HISTOIRE DU TRENTE ET UNIÈME OISEAU

Il m'est parvenu, ô Roi du temps, que vivaient autrefois à Bagdad un riche marchand et sa fille, dont le nom, Ziba, témoignait de sa grande beauté. En effet, Ziba — qui veut dire belle — avait reçu en partage à sa naissance un visage que la lune elle-même enviait, tant il la surpassait en éclat et en perfection. Des sourcils harmonieusement arqués ombrageaient comme un dais ses yeux d'un noir profond, ses lèvres étaient deux rubis vermeils et lorsqu'elle parlait, des perles roulaient de sa bouche. Une chevelure soyeuse tombait en boucles sur ses épaules, tandis que sa démarche possédait la finesse et l'élégance d'un jeune cyprès balancé par la brise. Ziba était en outre dotée d'un bel esprit et d'une voix mélodieuse; quand elle ne les troublait pas jusqu'aux larmes en chantant des strophes sur les délicieux tourments de l'amour en s'accompagnant au luth, elle pouvait rivaliser en connaissances avec les plus grands sages du royaume.

Son père cherchait en vain à marier cette créature charmante, dont la délicatesse et la beauté achevée inquiétaient le cœur de bien des jeunes gens. Chacun des prétendants à la main de Ziba se voyait rejeté par elle, soit qu'il fût trop petit ou trop grand, trop maigre ou trop gras, soit qu'il ne fût point assez beau ou assez riche, soit qu'il manquât d'esprit ou de hardiesse. Les années s'écoulaient donc sans que Ziba trouvât d'époux qui lui convînt, et il arriva qu'elle sombra peu à peu dans un état de langueur qui ternit son beau visage et lui arracha des soupirs déchirants.

Le marchand son père, qui jusque-là s'était montré conciliant face aux caprices de sa fille en raison de l'immense affection qu'il lui portait, estima néanmoins nécessaire de manifester à Ziba son autorité. Il eut un entretien avec elle.

— Ma fille, dit-il, l'état où vous vous êtes réduite me déchire le cœur. Longtemps j'ai consenti à vous laisser toute liberté dans le choix d'un mari, mais vous n'avez eu de cesse que tous vos prétendants ne s'en retournassent la tête basse et l'âme remplie d'affliction en vous laissant commodément à votre solitude. Qu'attendez-vous donc du mariage que de si braves jeunes gens ne puissent satisfaire?

— Père, répondit Ziba, souffrez que je ne vous dévoile pas ce secret dont la connaissance vous affligerait encore davantage, car vous ne verriez pas plus que moi de remède à ma mélancolie. Épargnez-moi de vous imposer cette peine.

— Dois-je comprendre que vous désirez persister dans un isolement qui ne sied guère à une dame de votre qualité?

— Hélas! père, cet isolement me pèse, mais il me pèse moins que la compagnie d'un époux qui ne troublerait point mon cœur.

— Ma fille, votre entêtement m'indispose. Aussi, étant d'avis que la compagnie d'un époux vous rendrait votre éclat et votre bonne humeur, je vous somme d'accepter sur-le-champ le premier parti que ma fantaisie me prendra de vous présenter.

— Père, repartit Ziba, je dois vous obéir. Il en sera donc ainsi, puisque vous le commandez. Cependant, quelque respect que je vous doive, il ne m'apparaît point que je me soumettrais moins à votre volonté si j'y mettais une condition.

Le marchand, qui balançait sans grand confort entre ses devoirs de père et la tendresse démesurée qu'il ressentait envers sa fille, n'eut pas la force de s'opposer à ce nouveau caprice de Ziba, et la pria de lui en faire part.

— J'épouserai quiconque m'apportera une plume de l'oiseau Sîmorg. Cet oiseau souverain réside derrière le mont Qâf, et il éblouit de sa lumière les âmes parfaites qui pénètrent à sa cour. Le chemin pour arriver jusqu'à lui est long et difficile; on doit s'y dépouiller de tout, renoncer à tout. L'homme qui, par amour pour moi ira trouver Sîmorg et m'en rapportera une plume, celui-là sera une âme pure et je lui donnerai mon cœur.

Le marchand, à ces paroles, fut saisi d'un grand découragement, car il savait presque inaccessible le royaume de Sîmorg, et il savait aussi qu'on en revenait rarement dût-on, par une improbable grâce, y parvenir. Il tenta de ramener Ziba à la raison, mais comme il vit qu'elle ne se départait pas de sa résolution, il consentit à ce qu'elle lui demandait.

— Puisque c'est ainsi que vous répondez à mes bontés, faites comme il vous plaira. Mais accordez-moi la grâce de ne vous montrer point en ma présence, en sorte que votre triste état ne m'arrache des larmes de douleur, car alors je vous ôterais la vie plutôt que de vous voir languir dans une situation aussi fâcheuse.

Quoique Ziba fût fort attachée à son père et que l'idée de ne partager point sa compagnie lui fût pénible, elle promit de se dérober désormais à ses regards aussi longtemps qu'un galant ne lui porterait pas une plume de Sîmorg, et ils se séparèrent, accablés de chagrin.

Dire combien de marchands, de guerriers et de princes entreprirent le voyage périlleux vers Sîmorg pour les faveurs de la belle Ziba occuperait tout entières des douzaines de nuits. Aussi, pour le moment, il convient de savoir seulement qu'aucun d'eux ne revint porteur du merveilleux cadeau, et qu'on n'entendit plus jamais parler même d'un seul d'entre eux.

À peine Ziba avait-elle eu cet entretien qu'elle se retira dans ses appartements. Assise près d'une fenêtre qui regardait des jardins tout emplis de roses et de vasques où coulait une eau très pure à laquelle venaient s'abreuver des oiseaux en grand nombre, elle prononça à voix basse des paroles, semblant s'adresser à elle-même. Aussitôt, l'un des oiseaux quitta le rebord du bassin où il se trouvait pour venir se poser sur la main que Ziba lui tendait.

C'était une créature magnifique. Ses longues plumes recourbées lançaient dans le soleil des éclats d'or et d'argent. Il avait les yeux plus chatoyants que des rubis précieux; des pierreries ornaient ses ailes et brillaient de tous leurs feux multicolores; sur sa tête se dressait une huppe toute de perles et de saphirs, et son bec était fait de la nacre la plus fine. Ziba lui parla en ces termes:

— Prince Djalal, prince Djalal, qu'allons-nous donc devenir? Les moments les plus délicieux de ma vie sont ceux que je passe en votre compagnie ici même et à l'insu de mon père. Mais voyez l'affliction qui m'accable depuis qu'une sorcière diabolique vous a ravi à mes caresses! Jusques à quand, cher cœur...

En prononçant ces mots, Schahrazade vit que l'aurore paraissait et, discrète, elle se tut. Schahriar, visiblement agacé par cette interruption, s'écria: «Ô Schahrazade! cette histoire est délicieuse en effet! Mais comme il me tarde de savoir le comment et le pourquoi de la métamorphose du prince Djalal!» Mais Schahrazade répondit: «Ô roi bien-aimé, c'est là une histoire fort longue, et avec ta permission, je préférerais te raconter d'abord la suite de celle que j'ai commencée.» Schahriar approuva cette sage décision, puis ils se couchèrent et s'enlacèrent jusqu'au grand matin. Alors, le roi Schahriar se leva et s'en fut vaquer à ses affaires toute la journée. Et ce fut la deux mille huit cent quarante-quatrième nuit. Schahriar alla trouver Schahrazade, qui lui dit:

— Il m'est parvenu, ô mon Roi, que Ziba dit au prince Djalal: «Jusques à quand, cher cœur, doit donc durer votre métamorphose? Combien d'années, de siècles encore, souffrirai-je le malheur de ne voir point le prince si beau, si bien fait qu'un enchantement a réduit à un si triste état?»

— Madame, répondit l'oiseau, sachez combien il m'est pénible de ne pouvoir mettre fin aux sorcelleries dont je suis la victime, et avec quelle tristesse je me vois contraint de renoncer à vous prodiguer les marques d'affection que m'inspirent votre beauté et votre charme. Tout au plus puis-je, d'un léger frôlement de mon bec, vous baiser la main ou la joue, mais cela est bien peu, hélas! quand je brûle pour vous d'un penchant si violent qu'il fait de moi votre esclave.

— Si cela est, prince Djalal, il faut que vous trouviez celui qui vous rendra votre forme première, sans quoi j'appellerai la mort à mon secours afin qu'elle me délivre de cette langueur où je suis de ne pouvoir point jouir de votre amour. Ah, prince Djalal, je vous supplie de porter remède à nos maux!

— Vous n'ignorez pas, Madame, combien de magiciens, de magiciennes, et même de derviches ont tenté, par leurs philtres et leurs prières, de me désenchanter sans parvenir à me faire reprendre ma forme naturelle. Je crains qu'il ne nous faille abandonner tout espoir de me voir rétabli à mon premier état. Mais quand je serais cet oiseau jusqu'à ce que la mort vienne, je ne laisserai pas de vous aimer, Madame, ni de vous être fidèle.

— Prince Djalal, je ne veux point me résoudre à cela que nous n'ayons tout tenté pour remédier à nos malheurs. Par une demande que je lui ai faite, il m'a été assez facile d'obtenir de mon père qu'il ne m'oblige point à épouser le premier venu. Nous jouissons donc encore d'un peu de temps, mais il nous faut faire vite, car je ne sais si mon père, dans la peine qu'il sera d'être privé de ma compagnie, ne reviendra pas à de moins favorables dispositions d'esprit.

— Madame, dussions-nous vivre cent vies, il ne m'apparaît point qu'elles nous fourniraient d'autre issue que la résignation. Savez-vous des magies que j'ignore pour croire qu'en peu de temps l'une d'elles pourrait défaire l'enchantement qui me tient prisonnier? Ah! plût au Ciel qu'il me fût permis d'espérer un bonheur aussi grand!

— Prince, si votre amour est conforme au mien, vous n'hésiterez pas, pour le satisfaire, à vous plier au désir que je vous exprime de vous rendre, par tous les moyens que vous jugerez sûrs, au-delà du mont Qâf, à la cour de l'oiseau Sîmorg. C'est un roi extraordinaire, capable, assure-t-on, de mille merveilles et doté des plus grands pouvoirs. Je vois en lui notre dernière chance. Allez le trouver, prince Djalal, pour l'amour de moi, et priez-le avec toute la ferveur dont vous êtes capable de vous rendre votre forme. Rapportez-moi aussi une plume de son manteau. Devant cette évidence, mon père ne pourra refuser de me donner à vous en mariage, et il fera mander le cadi.

À ces mots, Djalal ne put réprimer un froissement d'ailes qui exprimait sa crainte.

— Ah! chère âme! il n'y a rien au monde que je ne sois prêt à faire pour l'amour de vous, mais cela, en vérité, je ne le puis. Il faut pour trouver Sîmorg traverser sept vallées périlleuses. Nombreux sont ceux qui y déposent leur vie. Il n'y a personne qui puisse entreprendre ce voyage et espérer en revenir. Ne m'exposez pas à un si grand péril. Laissez-moi plutôt me consumer d'amour ici, dans ma forme d'oiseau! Quels que soient les maux que j'en subisse, ils me seront moins pénibles que d'être à jamais séparé de vous!

— Quoi donc? Serait-il possible que vous m'aimiez si peu qu'il vous répugne de tout risquer pour le bonheur de me posséder enfin? Prince Djalal, je ne supporterais pas votre présence sans languir et sans que mon amour ne se transforme en mépris si je savais que vous n'avez point mis tout en œuvre pour surmonter les obstacles que votre métamorphose a placés sur le chemin de notre passion. Partez. Et ne revenez pas que vous n'ayez pénétré à la cour de Sîmorg pour lui présenter votre requête. Si douloureuse que me sera votre absence, je la souffrirai dans l'espérance de voir bientôt paraître devant moi le prince valeureux et bien fait qui se cache sous ce plumage. Allez, je vous en conjure. Je vous attendrai tout le temps qu'il faudra. Et si vous ne revenez pas, si vous mourez en chemin, je laisserai mon propre souffle me quitter, pour vous rejoindre dans un autre monde.

— Madame, je serais indigne de tant d'amour si je ne vous obéissais point. Je pars donc. Mais je vous demande la grâce de m'accompagner tous les jours par vos prières, afin qu'elles me protègent des périls que je rencontrerai par l'effet de votre requête. Adieu, Madame. Fasse le Ciel que nous soyons bientôt à jamais réunis.

Ils se séparèrent avec beaucoup de larmes et d'embrassements, puis Ziba, appuyée à sa fenêtre, vit s'envoler le prince Djalal en direction des montagnes. Elle suivit du regard l'oiseau dont les plumes d'or, d'argent et de pierres précieuses étincelaient dans le soleil couchant, jusqu'à ce qu'il ne fût plus qu'un point minuscule à l'horizon, et encore après, quand la nuit fut tombée sur la Perse et que le ciel se fut couvert de milliers d'étoiles.

* * *

Djalal voyagea toute la nuit. Il survola des villes et des bourgades, des coupoles et des minarets, des sérails, des terrasses, des huttes. Jamais il ne se posa. Sous lui défilaient des collines herbues, des plateaux rocheux, des plaines rases, de temps à autre un marais, de temps à autre un désert. L'obscurité estompait les formes, gommait les détails; tout n'était que masses et ombres que les reflets de la lune elle-même n'arrivaient pas à définir. Djalal volait sans s'arrêter. La fatigue alourdissait ses ailes, la soif torturait son gosier, la faim malmenait son ventre. Mais Djalal ne se posa sur aucune branche, ne but d'aucune eau, ne mangea d'aucune baie.

Au matin, quand le soleil redonna leur forme aux choses, Djalal s'aperçut qu'il voyageait entre deux hautes montagnes et qu'il se trouvait à l'entrée d'une profonde vallée. Repérant un buisson lourd de grappes tout à côté d'un ruisseau, il ne résista plus à la faim qui le tenaillait et atterrit pour se restaurer. Il mangea son content de fruits juteux et sucrés mais quand, penché sur l'eau, il voulut boire, il fut pris d'un étourdissement sans doute dû à un excès de fatigue, et tomba tête première dans le cours d'eau. Il eut à peine le temps de s'écrier: «Par Allah et le Prophète!» qu'il constata que le ruisseau n'en était pas un d'eau, mais bien de sang. Saisi d'horreur, il tenta désespérément de se hisser sur la rive, mais le poids de ses plumes d'or et d'argent l'entraînait vers le fond. Toutes ses forces déployées ensemble ne lui permettaient que de se maintenir la tête à la surface sans qu'il pût regagner la terre ferme. Lourd de cette fortune qu'il portait sur son dos, il combattit pendant un temps interminable l'élément qui se déchaînait maintenant contre lui avec la violence d'un torrent. Combien de minutes cela dura-t-il? combien d'heures? de semaines? d'années? Djalal sentait que les tourbillons de sang lui arrachaient au passage des plumes et des pierreries tandis qu'il avançait péniblement, complètement vidé, dans une sorte d'hypnose, contre le courant. Puis, un jour, comme il ne s'y attendait plus, il sentit le fond sous ses pattes; le ruisseau redevint calme; le sang redevint eau. Djalal put toucher le rivage où il se laissa tomber d'épuisement. Il s'endormit et ne se réveilla que fort longtemps après, des mois après peut-être, peut-être des années. Le soleil se couchait derrière les montagnes, dans un ciel vert. Djalal reprit son vol.

Il voyagea toute la nuit. Au matin, quand le soleil redonna leur forme aux choses, Djalal comprit qu'il se trouvait à l'entrée d'une seconde vallée. Sitôt qu'il se fut posé dans le but de se refaire un peu, il se vit encerclé de toutes parts par une muraille de feu. «Allah! s'écria-t-il, en voyant les flammes lancer leurs langues jusqu'au ciel. Allah! de quoi suis-je donc coupable pour que tu m'envoies une si grande calamité?» Mais Allah ne daigna pas répondre à son serviteur, et Djalal en fut quitte pour sentir son plumage, déjà abîmé par le torrent de sang, roussir et fondre par plaques, tandis que des pierreries, délivrées de leur châsse, tombaient sur le sol. Il voulut s'envoler, mais les flammes se refermèrent au-dessus de lui comme une coupole. Il avança à petits pas: ce fut en vain qu'il chercha une brèche par où échapper à cet enfer dévorant. Au fur et à mesure de sa progression, le cercle de feu qui le tenait prisonnier se déplaçait avec lui. Combien de temps cela dura-t-il? combien d'heures? de semaines? d'années? Djalal avançait, sentant que l'abandonnaient ses forces, voyant que fondaient ses plumes d'or et d'argent, brisé de chaleur, de soif, de fatigue. Puis, un jour, comme il ne s'y attendait plus, il vit que devant lui les flammes se séparaient. Il rassembla ce qui lui restait d'énergie pour se faufiler dans le passage ainsi formé et, dans un pitoyable battement d'ailes, réussit à se hisser sur une corniche qui surplombait la vallée, où il s'endormit. Il ne se réveilla que fort longtemps après, des mois après peut-être, peut-être des années. Le soleil se couchait derrière les montagnes, dans un ciel vert. Djalal reprit son vol.

Il voyagea toute la nuit. Au matin, quand le soleil redonna leur forme aux choses, Djalal comprit qu'il se trouvait à l'entrée d'une troisième vallée. Des arbrisseaux chargés de fruits attirèrent Djalal qui, affamé, voulut s'en nourrir. Mais quelle ne fut pas sa stupeur lorsqu'il vit que les fruits qui, de haut, ressemblaient à des cerises plus rouges que des rubis, des abricots plus jaunes que des topazes, des raisins plus bleus que des saphirs, étaient en réalité les yeux arrachés d'oiseaux par centaines, dont les corps gisaient sur le sol en deux rangs. Un long gémissement s'empara de sa gorge à la vue des cadavres alignés. Il voulut s'envoler, mais une voix puissante qui s'adressait à lui l'en empêcha: «Malheureux Djalal! Comment oses-tu troubler ma paix?» À ces mots le sol trembla et le firmament s'obscurcit. Djalal releva la tête et constata, dans un frisson de terreur, que tout le ciel au-dessus de lui était occupé par un djinn immense, aux cheveux hirsutes et au visage grimaçant, qui tenait dans sa main un glaive gigantesque. Inutile de chercher à s'enfuir par là. Il devait trouver une autre issue. Il s'avança, sur ses pattes flageolantes, entre les rangées d'oiseaux qui tous portaient leur tête tranchée sur leur gorge, leur tête sans yeux où s'ouvraient deux trous profonds comme des puits. Alors le djinn, hilare, abattit son glaive qui manqua Djalal de peu, mais fit voler au passage les perles et les saphirs de sa huppe. Djalal continua sa progression, tremblant de toutes ses plumes, pendant que de temps à autre le djinn, avec un rire prodigieux, l'amputait ici d'une pierrerie, là d'un bout d'aile, là encore d'un fragment de queue. Combien de temps cela dura-t-il? combien d'heures? de semaines? d'années? Puis, un jour, comme il ne s'y attendait plus, Djalal s'aperçut que le ciel s'éclaircissait, que le rire du djinn se faisait plus lointain, que la lame de son glaive s'éloignait à chaque coup un peu plus de sa cible. Les oiseaux décapités se raréfièrent et bientôt il n'y en eut plus un seul. Djalal ne chercha pas à savoir par quel miracle il avait été ainsi épargné et continua son avancée, tantôt sautillant, tantôt voletant, tandis que le djinn faiblissait, pâlissait, jusqu'à n'être plus qu'une fumée légère sur le fond du ciel. Après un long moment, Djalal, à bout de forces, rencontra une caverne et s'y endormit. Il ne se réveilla que longtemps après, des mois après peut-être, peut-être des années. Le soleil se couchait derrière les montagnes, dans un ciel vert. Djalal reprit son vol.

Il voyagea toute la nuit. Au matin, quand le soleil redonna leur forme aux choses, Djalal comprit qu'il se trouvait à l'entrée d'une quatrième vallée. Cette vallée, où Djalal ne distinguait aucun arbre, aucune fleur, aucun fruit, scintillait comme un miroir lisse, brillait d'un éclat aveuglant qui attira Djalal comme un aimant attire le fer. Il plongea en tournoyant comme les arabesques qui enluminent Al-Koran, rapide comme une étoile qui tombe, et il perça la surface du miroir dans une grande éclaboussure. Revenant à lui,il se vit au milieu d'un océan immense et sans limites. L'horizon n'était qu'une ligne tremblotante l'entourant de toutes parts. Il n'y avait ni montagnes ni rives, aucune île, aucun port, seule cette vaste étendue d'eau salée où Djalal flottait pareil à un pétale de fleur. Bientôt, le ciel jusque-là clair se couvrit de nuages noirs. Le vent se leva, impitoyable. Djalal se débattit au centre d'une tempête prodigieuse, parmi les lames plus hautes que des minarets, qui le bousculaient, le fouettaient, le lacéraient avec leurs franges. À tout instant, il croyait que sa fin était arrivée et il s'étonnait de continuer à survivre à une telle torture. Combien de temps cela dura-t-il? combien d'heures? de semaines? d'années? Djalal se défendait des éléments féroces, se maintenait à la surface au prix d'efforts surhumains. Puis, un jour, comme il ne s'y attendait plus, la tempête s'apaisa et Djalal se trouva tout près d'un rivage de sable où il réussit enfin à se traîner. Il se laissa tomber sur la grève et s'endormit. Il ne se réveilla que longtemps après, des mois après peut-être, peut-être des années. Le soleil se couchait derrière les montagnes, dans un ciel vert. Djalal reprit son vol.

Il voyagea toute la nuit. Au matin, quand le soleil redonna leur forme aux choses, Djalal comprit qu'il se trouvait à l'entrée d'une cinquième vallée. Celle-ci jetait des reflets roses et des reflets jaunes d'une telle pureté qu'elle parut entièrement couverte d'or. La curiosité de Djalal l'emporta sur la prudence, et il se laissa glisser en planant jusqu'au sol. Sitôt qu'il eut atterri, il s'aperçut du leurre: ce n'était pas là de l'or, mais bien le sable le plus fin. Djalal était en plein désert, sous un soleil torride, et le sable brûlait ses pattes comme des charbons ardents. Il voulut s'envoler, mais un vent violent s'éleva qui dressa devant lui, derrière lui et au-dessus de lui des tourbillons de sable qui le fouettèrent et l'aveuglèrent. Il se couvrit la tête avec ses ailes comme il put, en invoquant Allah Clément et Miséricordieux, et en le suppliant de faire cesser cette tempête si cela pouvait être Sa volonté. Allah entendit-il la prière de son serviteur? Quoi qu'il en soit, après des jours et des jours, la tempête se calma. Djalal, épuisé, mort de soif, complètement abattu et amaigri, rampa tantôt sur une aile, tantôt sur l'autre vers une oasis qu'il apercevait au loin, en priant que ce ne fût point là un mirage. C'était pitié de voir ce pauvre Djalal à demi mort se traînant dans le sable en laissant derrière lui un sillage semblable à celui que dessinerait une vipère. Combien de temps cela dura-t-il? combien d'heures? de semaines? d'années? L'oasis ne se rapprochait guère, même, Djalal crut plusieurs fois qu'elle s'éloignait. Puis, un jour, comme il ne s'y attendait plus, il sentit sur sa tête tomber l'ombre d'un grand dattier et une brise fraîche secouer ses plumes. Il rassembla ses dernières forces pour toucher le pied de l'arbre, but tout son saoul au puits qui s'y trouvait, et s'endormit. Il ne se réveilla que longtemps après, des mois après peut-être, peut-être des années. Le soleil se couchait derrière les montagnes, dans un ciel vert. Djalal reprit son vol.

Il voyagea toute la nuit. Au matin, quand le soleil redonna leur forme aux choses, Djalal comprit qu'il se trouvait à l'entrée d'une sixième vallée. D'elle montait un chant bien scandé, tenu par des centaines de voix comme celles qui récitent Al-Koran à la prière commune. Djalal, attiré par les voix, se posa sur le sol. Il se vit aussitôt entouré de derviches qui, cessant là leurs chants, se mirent à crier des «Ya Allah! Ya Allah!» en courant en tous sens et en se montrant l'un l'autre Djalal du doigt. Quelle ne fut pas la surprise de Djalal quand il se sentit tout à coup empoigné par des mains puissantes, puis soulevé de terre, puis lancé, puis rattrapé par d'autres mains, puis lancé encore, tout ceci au milieu de cris, de rires, d'imprécations! Il compris vite qu'il était devenu l'enjeu d'une joute semblable au bouzkashi, cette course barbare à laquelle s'adonnent les nomades des hauts plateaux. Il n'eut guère le loisir d'y réfléchir, n'étant plus qu'une loque qu'on tire, qu'on lance et qu'on triture. À chaque élan, à chaque prise, il perdait quelques plumes de plus, et c'est bien en vain qu'il tenta d'échapper aux derviches et à leur jeu cruel. Combien de temps cela dura-t-il? combien d'heures? de semaines? d'années? Les derviches étaient pris d'une frénésie sans borne, ils s'adonnaient à la joute avec autant de ferveur qu'ils mettaient en d'autres temps à tourner, ou à scander les versets du Livre. Puis, un jour, comme il ne s'y attendait plus, les derviches mirent fin à leur jeu aussi brusquement qu'ils l'avaient entrepris, lancèrent au loin Djalal qui atterrit dans un buisson de ronces, s'accroupirent et recommencèrent à prier. Djalal se dégagea des épines qui le lacéraient, tomba épuisé au pied du buisson et s'endormit. Il ne se réveilla que longtemps après, des mois après peut-être, peut-être des années. Le soleil se couchait derrière les montagnes, dans un ciel vert. Djalal reprit son vol.

Il voyagea toute la nuit. Au matin, quand le soleil redonna leur forme aux choses, Djalal comprit qu'il se trouvait à l'entrée de la septième vallée. Curieux de connaître ce que lui réservait cette dernière étape, enhardi par le fait d'avoir survécu aux six autres épreuves, il se posa à terre. Or, partout le sol était fissuré, et par ces fissures montaient des fumées âcres et noires qui obscurcissaient le ciel. De même, l'air était rempli de gémissements et de pleurs qui semblaient provenir du sein de la terre. Les arbres et les buissons, où il y en avait, paraissaient calcinés, leurs branches cassantes et dépouillées de feuilles servaient de perchoir à des milliers de rapaces au regard foudroyant. Djalal frissonnait de terreur et, pétrifié sur place, ne pouvait pas faire un pas ni même s'envoler. Tout à coup, le sol s'ouvrit sous lui, l'engloutit et se referma dans un fracas épouvantable. Djalal poussa un cri strident qui résonna longtemps comme un écho, puis, étourdi, il alla buter de la tête contre quelque chose de dur et s'évanouit. Quand il revint à lui, il s'aperçut qu'il se trouvait dans une vaste et sombre caverne remplie de tombeaux d'où montaient des odeurs de putréfaction, des gémissements et des fumées épaisses. La fumée le prenait à la gorge et remplissait ses yeux de larmes. L'odeur de charogne envahissait son nez. Les gémissements qui pénétraient dans ses oreilles l'assourdissaient. Il voulut fuir cet antre de la mort et voleta en tous sens, ne rencontrant jamais que des parois humides couvertes de moisissure. Puis, enfin, il lui sembla trouver une issue, comme un long corridor, et il put laisser loin derrière lui les âmes torturées qui se lamentaient au fond de leurs tombeaux. Mais voilà qu'il se trouva dans une obscurité opaque sans pouvoir discerner de forme, dans un silence écrasant sans pouvoir discerner de son, dans un néant terrifiant où rien, ni paroi ni odeur ni plainte ni ombre ne se manifestaient. «Par Allah et le Prophète! soupira-t-il. Se peut-il que je sois mort aussi? Qu'est donc ce vide sinon le royaume des âmes?» Cette pensée le remplit de terreur et il crut vraiment qu'il avait pénétré de l'autre côté du monde. Mais il dit — et cela le rassura — «Il n'y a de puissance et de force qu'en Allah!», car chacun a son temps mesuré sur la terre, et si son heure est venue, il ne peut la différer, et si son heure n'est pas venue, il n'a rien à redouter. Combien de temps cela dura-t-il? combien d'heures? de semaines? d'années? Djalal continuait à voleter en aveugle, ne voyant rien, n'entendant rien, ne sentant rien, ne touchant rien, et cet exercice lui parut éternel. Puis, un jour, comme il ne s'y attendait plus, il entrevit loin au-dessus de lui une petite ouverture, minuscule, où un peu de jour se montrait. Épuisé et rendu à moitié fou par son séjour dans la caverne, il déploya un ultime effort pour voler jusque là-haut. C'était bien une ouverture, mais si petite, si minuscule, qu'il crut ne jamais pouvoir s'y faufiler. Cependant, comme le chameau passe à travers le chas d'une aiguille, Djalal fit tant et si bien qu'il réussit à sortir de sa prison, à force de contorsions et en y laissant, bien entendu, ses dernières plumes. Arrivé en plein air, il n'était plus qu'un ridicule débris d'oiseau, sans huppe ni plumage, il n'était plus qu'un amas de chairs nues et couvertes de plaies, il n'était plus qu'une ombre famélique et pâle. Il se laissa tomber d'épuisement juste à l'endroit où il se trouvait et s'endormit. Il ne se réveilla que longtemps après, des mois après peut-être, peut-être des années. Le soleil se levait, éblouissant, derrière les montagnes, dans un ciel vert. Une voix le fit sursauter.

— Çà donc! Qui es-tu? D'où viens-tu? Que puis-je faire d'un *rien* comme toi? Retourne d'où tu viens!

Djalal reconnut là un chambellan fort noble, un officier de Sîmorg, paré de ses plus belles robes d'honneur. Il se tenait à l'entrée d'un palais resplendissant, incrusté d'or, d'argent et de milliers de pierres toutes plus précieuses les unes que les autres. Djalal, ébloui par tant de richesse, se sentit en effet aussi vil qu'une poignée de terre, aussi négligeable qu'une fourmi. Il se reprit cependant, et s'adressa au chambellan en ces termes:

— Seigneur, aie pitié de moi qui ai surmonté les sept épreuves! Sîmorg, dans sa majesté suprême, me rejettera-t-il ignominieusement? Vois combien sont grandes les marques de ma souffrance! Et ne me suis-je point avili pour venir jusqu'ici? Ah, grâce, Seigneur! puisque je suis dans cet état où tu ne laisserais pas ton pire ennemi, ne me prive pas davantage de la vue de mon roi, car je ne connais d'autre chemin qui saurait m'y conduire!

Alors le chambellan, saisi par le discours de Djalal, ouvrit l'un après l'autre quatre-vingt-dix-neuf des cent rideaux de lumière qui séparaient Djalal de Sîmorg, et Djalal parcourut le long corridor qui menait à la salle du trône. Arrivé à cet endroit, il vit que l'accès lui en était interdit, non par un rideau, comme il s'y attendait, mais par deux rideaux côte à côte: le centième, qui étincelait de millions de feux immatériels, et le cent et unième, qui brûlait d'un feu véritable. Alors, Djalal, voyant que le chambellan ne lui ouvrait ni l'un ni l'autre, baisa la terre sept fois et dit ces vers:

«Je cherche un asile auprès de Dieu dès l'aube du jour,

«Contre la méchanceté des êtres qu'il a créés,

«Contre le malheur de la nuit ténébreuse quand elle nous surprend,

«Contre la méchanceté des sorcières qui soufflent sur les nœuds,

«Contre le malheur de l'envieux qui nous envie.»**

Mais la voix majestueuse de Sîmorg lui-même résonna et interrompit cette belle lancée.

— Malheureux! Comment oses-tu prétendre à de telles intentions? Ne sais-je pas, moi qui vois tout, moi qui entends tout, moi qui connais tout, pour quelle raison tu es ici? Voyez cet orgueilleux menteur! Les motifs de ton périple ne sont pas inscrits dans Al-Koran, et tu pourrais jusqu'à demain m'en réciter les sourates, tu ne me convaincras pas de ta bonne foi, car je connais tous tes gestes, toutes tes paroles. N'est-il pas écrit:

«Nous avons créé l'homme et nous savons ce que son âme lui dit à l'oreille; nous sommes plus près de lui que sa veine jugulaire.

«Lorsque les deux anges chargés de recueillir les paroles de l'homme se mettent à les recueillir, l'un s'assied à sa droite, et l'autre à sa gauche.

«Il ne profère pas une seule parole qu'il n'y ait un surveillant prompt à la noter exactement.»***

** *Coran*, sourate CXIII.

*** *Coran*, sourate L.

— Ainsi, poursuivit Sîmorg, je sais que tu n'es point ici par amour pour moi comme les trente oiseaux qui t'ont précédé. Ils avaient, eux, des intentions pures. Au reste, il m'apparaît que tu es assez en retard... mais je passe outre cet affront, car tu es coupable d'un affront plus grave encore. N'es-tu point ici par concupiscence? Par luxure? N'es-tu point ici par amour pour une femme? Oserais-tu nier ce que je te dis? Vois. Lis. Tous les actes de ta vie sont consignés dans ce diwân.

Alors, Djalal vit apparaître devant lui un grand livre carré qu'il parcourut en tous sens. Et, en effet, tous les moments de sa vie y étaient consignés depuis sa naissance, et aussi l'événement de sa métamorphose en oiseau, et aussi sa conversation avec Ziba, et aussi sa traversée périlleuse des sept vallées, tout avait été inscrit dans son diwân en caractères d'or enluminés de mille couleurs. Et il en fut tout honteux. Et il dit:

— Sur moi toutes les malédictions du Ciel, ô Sîmorg! Et que ma tête se couvre de cendre, et que ma bouche se remplisse de terre, car c'est la vérité, je suis ici pour l'amour de Ziba. C'est pour cette beauté parmi toutes les beautés, pour cette étoile parmi toutes les étoiles, pour cette rose parmi toutes les roses que je suis venu jusqu'à toi te supplier de me rendre ma forme première. Car je ne puis davantage être privé des joies de son amour. Je ne suis que langueur devant tant de beauté, et je fonds de désir, et je meurs du désespoir de ne pouvoir point jouir de ses caresses. Ô Sîmorg, par pitié, délivre-moi du maléfice qui m'a rendu à l'image d'un oiseau! Je te jure sur ma tête que je me prosternerai à jamais entre tes mains et clamerai ta gloire jusqu'à ce que le ciel se fende et que les tombeaux soient renversés!

— Ô insouciant! Ô orgueilleux! L'amour charnel a fait de toi un être plus vil que le dernier des insectes rampants! Tu donnes le nom de beauté à ce qui n'est qu'une poignée de terre et tu voudrais encore te fondre dans ma lumière et recevoir mes dons! Arrière! Va-t'en! Tu n'es pas digne de Sîmorg! Tu n'es même pas digne de son ombre! Mais... puisque tu as fait tout ce trajet... que ce ne soit pas en vain. Tu auras donc ce que tu mérites, et uniquement ce que tu mérites.

Sîmorg pria alors son chambellan d'ouvrir devant Djalal la cent et unième portière. Ce qu'il fit. Djalal vit devant lui un spectacle ahurissant qui le cloua sur place. Un oiseau, de la taille de mille oiseaux ensemble, et plus noir que mille corbeaux noirs, dont les plumes étaient plus acérées que des glaives et dont les yeux et le bec laissaient échapper des flammes rouges, se dressait devant lui en disant ces mots:

— Prosterne-toi devant Éblis, la Face cachée de Sîmorg, le Dieu des Ténèbres, le Guerrier de l'Orient et de l'Occident, le Coursier de Nuit, l'Ange de la Mort, le Second Juge, le Maître de tous les Malheurs! Tu n'es pas, me dit-on, satisfait de ton état? Tu voudrais en changer? Qu'il en soit donc ainsi!

À ces mots, Éblis éclata d'un rire grotesque et, trempant le bout de son aile noire dans un bassin rempli d'eau qui bouillonnait, il en aspergea Djalal en prononçant ces paroles:

— Par la vertu des Noms Magiques et des Puissantes Paroles, par la Majesté de moi, Éblis, le Maître des Magiciens, je t'ordonne de quitter cette forme et de prendre celle qui ressemble le plus à ton âme maudite!

Aussitôt Djalal se vit, d'oiseau déplumé et purulent qu'il était, transformé en un grand corbeau noir. Pendant qu'il se lamentait et gémissait de sa nouvelle condition pire que la première, Éblis lui dit:

— Te voilà bien servi et comme tu le mérites! Maintenant, retourne d'où tu viens. Et sache qu'aucun djinn, aucune sorcière, aucun magicien ne peut plus rien pour toi. Car tu es mon serviteur dorénavant. Tu es Éblisi Djalal: ni homme ni bête, mais un malin du Malin, la gloire du Diable, un esclave des Ténèbres, ma plus belle œuvre!

Éblisi Djalal s'empressa de regarder Éblis, et il tomba dans la stupéfaction, car il vit qu'il était bien Éblis, et qu'Éblis était lui. Déjà il se faisait à sa nouvelle forme, acquérait sans tarder les caractéristiques d'Éblis dont il était un avatar. Il écumait de bave, de rage et de malignité, battait l'air de ses ailes noires et crachait le feu. Puis il s'anéantit dans Éblis. L'ombre s'était perdue dans l'ombre, la nuit dans la nuit, le malheur dans le malheur. Éblisi Djalal et Éblis ne formaient en réalité qu'un seul être. Ce seul être était Éblis, et Éblis était cet être. Et voilà tout.

Arrivée à la fin de son histoire, Schahrazade se tut, car elle voyait poindre l'aurore. Le roi Schahriar, au comble de l'étonnement, lui dit: «Par Allah! c'est là une fin méritée pour un oiseau aussi éhonté! Et il m'apparaît bien qu'Allah ne l'ait point gardé en Sa compassion!» Schahrazade sourit et dit: «Certes, c'est une histoire savoureuse, mais celle que je raconterai la nuit prochaine est bien plus savoureuse encore!» Le roi Schahriar s'écria: «En vérité, je ne vois point qu'il y ait d'histoire plus édifiante que celle-ci. Que pourrais-tu donc me raconter la nuit prochaine qui soit plus attachant que tout ce que j'ai entendu à ce jour?» Et Schahrazade répondit: «Ô mon bien-aimé Roi, sache qu'Éblisi Djalal, traînant sa destinée comme un boulet, prit le chemin du retour, et qu'il arriva à Bagdad au bout d'un long périple rempli d'aventures, et qu'il revit aussi Ziba. Je te réserve, pour les prochaines nuits, le récit de tous les malheurs qu'Éblisi Djalal sema sur son passage, puis celui de sa rencontre avec Ziba, puis celui des propos qu'ils échangèrent, et aussi de tout ce qui arriva par la suite.» Alors le roi Schahriar dit en son âme: «Loué soit Allah de m'avoir donné une épouse aussi éloquente et sage!» Puis il prit Schahrazade dans ses bras et ils se couchèrent. Quand il fit grand jour, le roi rejoignit son Conseil où, jusqu'au soir, il nomma, gouverna, rendit la justice et fit couper quelques têtes. Puis il rentra dans son palais où l'attendait Schahrazade. Et quand fut la deux mille huit cent quarante-cinquième nuit, Schahrazade et Schahriar se regardèrent en souriant, et elle dit...

JUSTIFICATIFS

La plupart des textes compris dans ce recueil ont fait l'objet, dans une forme parfois un peu différente, d'une publication ou d'une diffusion antérieures.

«L'alcyon de Carnac»: Montréal, *Châtelaine*, décembre 1979;

«Alors quoi...?»: Société Radio-Canada, émission *L'atelier des inédits*, 23 janvier 1980;

«Le fil d'archal»: Société Radio-Canada, émission *L'atelier des inédits*, 23 janvier 1980;

«Anna Méloé»: Montréal, *Liberté*, n° 137, septembre-octobre 1981; Société Radio-Canada, émission *L'atelier des inédits*, 23 janvier 1980;

«Lucrèce»: Montréal, *La Nouvelle Barre du Jour*, numéro spécial sur «Le fantastique», dirigé par André Carpentier et Marie José Thériault, n° 89, avril 1980;

«Messaline»: Montréal, *Liberté*, n° 137, septembre-octobre 1981;

«Elvire»: Montréal, *Liberté*, n° 137, septembre-octobre 1981; Société Radio-Canada, émission *L'atelier des inédits*, 13 août 1980;

«Santiago»: Montréal, *Imagine*, n° 18, août-septembre 1983; Société Radio-Canada, émission *L'atelier des inédits*, 13 août 1980;

«Le train»: Société Radio-Canada, émission *L'atelier des Inédits*, 13 août 1980;

«Le pain d'épices»: Société Radio-Canada, émission *L'atelier des inédits*, 13 août 1980;

«Le rameau d'or»: Montréal, *Vice Versa*, vol. 2, n° 2, janvier-février 1985;

«Le trente et unième oiseau»: *Dix contes et nouvelles fantastiques*, collectif dirigé par André Carpentier, Montréal, Quinze, 1985;

«La gare»: Lausanne, *Écriture*, n° 25, hiver 1985-1986;

L'ENVOLEUR DE CHEVAUX

«Radko»: Société Radio-Canada, émission *Inédits*, 18 décembre 1985 (texte retenu dans le cadre du Concours de nouvelles de Radio-Canada);

«Le manuscrit de Dieu»: Montréal, *XYZ*, juin 1986;

«Le livre de Mafteh Haller»: Société Radio-Canada, émission *Inédits*, 20 août 1985 (texte retenu dans le cadre du Concours de nouvelles de Radio-Canada);

«L'impossible train d'Anvers»: *Des nouvelles du Québec*, sous la direction de Gaëtan Lévesque, Montréal, Valmont éditeur, 1986.

TABLE DES MATIÈRES

I

La gare	11
Santiago	15
Anna Méloé	20
Les maisons murmures	23
L'impossible train d'Anvers	36

II

Messaline	43
Alors, quoi...?	48
Elvire	54
Le train	56
Lucrèce	61
Le pain d'épices	69
Radko	73

III

L'envoleur de chevaux	87
Le livre de Mafteh Haller	97
Le fil d'Archal	116
Le manuscrit de Dieu	123
L'alcyon de Carnac	129
Le cordier de Syracuse	135
Le rameau d'or	144
Le trente et unième oiseau	148
Justificatifs	174

Achevé d'imprimer
en août 1986, par les travailleurs
des Éditions Marquis, à Montmagny, Québec,
pour le compte des Éditions du Boréal